CIP AR Y CEWRI

Dyma deitlau'r cyfrolau yn y gyfres hyd yma:

CIP AR Y
CEWRI

Golygwyd gan
Non ap Emlyn

Gwasg
Gwynedd

Argraffiad Cyntaf – Tachwedd 2000

© Non ap Emlyn 2000

ISBN 0 86074 170 2

*Cyhoeddwyd ac Argraffwyd
gan Wasg Gwynedd, Caernarfon*

I Mam
ac er cof am fy nhad
G.M. Mathias

Cynnwys

Rhagair

Cip ar y Cewri. Ystyr 'cip' ydy 'edrychiad sydyn', neu, yn Saesneg, *a glance*. A dyna beth sy yn y llyfr yma – cip ar gyfnod ym mywyd rhai o bobl enwog Cymru – neu 'cewri Cymru' – beirdd, gwleidyddion, diddanwyr, pobl sy wedi sefyll yn gryf dros achos. Mae yma actor a dyfarnwr pêl-droed hefyd.

Yn fwy arbennig, mae'r llyfr yn edrych yn sydyn ar rai o'r bobl enwog sy wedi cyfrannu at y gyfres boblogaidd *Cyfres y Cewri* – cyfres o lyfrau sy wedi ei chyhoeddi gan Wasg Gwynedd. Ond yn ogystal, mae'n sôn am ddigwyddiadau sy'n bwysig yn hanes Cymru, fel llosgi'r ysgol fomio ym Mhenyberth, brwydro dros yr iaith a dros sianel Gymraeg ac Antur Waunfawr.

Mae'r gyfrol yma, felly, yn cynnwys amrywiaeth o bobl ac o destunau. Gan fod y bobl yma'n dod o wahanol rannau o Gymru, mae iaith y darnau'n amrywio ychydig. Mae rhai darnau'n fwy llenyddol hefyd – yn enwedig tua diwedd y gyfrol – ond mae geirfa ar waelod y tudalennau i roi ychydig o help.

Diolch i bawb sy wedi bod yn rhan o'r gwaith yma. Diolch i Hedd, fel arfer, am ei gefnogaeth barod – am gynorthwyo gyda darllen a dewis darnau ac am ei waith manwl ar y proflenni. Diolch i Morfudd am ei gwaith teipio gofalus. Diolch yn arbennig i Wasg Gwynedd am y gwahoddiad i olygu'r gyfrol ac am ei chyhoeddi.

Non ap Emlyn
Nadolig 2000

CYFRES Y CEWRI 17

FI DAI SY' 'MA

DAI JONES

CYFRES Y CEWRI

Dai Jones

Mae Dai Jones yn ffermio yng Ngheredigion, ond mae e'n enwog trwy Gymru fel cyflwynydd ar y teledu ac fel canwr. Yn y darnau nesaf, mae e'n sôn am weithio ar *Siôn a Siân*, rhaglen lle mae e'n gofyn cwestiynau i barau; yna, mae e'n sôn am weithio ar y rhaglen *Cefn Gwlad*, rhaglen am faterion a chymeriadau cefn gwlad.

Siôn a Siân

Fe fyddai ambell gwestiwn yn achosi problemau weithiau. Unwaith, fe ddaeth y gair *chivalry* i fyny mewn cwestiwn. Rwy'n ei chael hi'n anodd ynganu'r gair yma hyd heddiw. Ond doeddwn i erioed wedi'i glywed e o'r blaen, heb sôn am wybod beth oedd ei ystyr. Rhywbeth tebyg i hyn oedd y cwestiwn.

'Ydy'r gŵr yn gwybod beth yw *chivalry*?'
Ac yn fy myw, fedrwn i mo'i ynganu. Fe wnes i roi cynnig ar *chilvary*, ar *chivelary*, a phob cynnig yn anghywir. Ac wrth gwrs, wrth i fi geisio'i ynganu fe'n gyflymach, roedd pethau'n mynd yn waeth byth. A'r gynulleidfa'n beichio chwerthin. I wneud pethe'n waeth

ynganu – *to pronounce*
heb sôn am – *let alone*
yn fy myw – *for the life of me*
rhoi cynnig ar – *to attempt*
beichio chwerthin – *to howl with laughter*
pethe = pethau

13

byth dyma'r fenyw fach rown i'n ei holi yn rhoi gwers i fi ar sut roedd ynganu'r gair.

Bryd arall, cwestiwn i'r wraig.

'Pan ddaw'r gŵr i'r tŷ, ble bydd e'n gadael ei welingtons? Fydd e'n eu tynnu nhw y tu allan? Fydd e'n eu tynnu nhw yn y *porch*? Fydd e'n eu golchi nhw'n lân a'u cadw nhw am ei draed? Neu fydd e'n cerdded i mewn ynddyn nhw fel maen nhw?

Nawr, rown i'n meddwl fod ganddi hi ddigon o ddewis. Ond dyma hi'n ateb.

'Yn y *conservatory*.'

Doeddwn i ddim yn gwybod beth ar y ddaear oedd *conservatory*. Doeddwn i erioed wedi clywed y gair. Felly, fe sgrifennais i'r gair ar ddarn o bapur er mwyn ceisio'i gofio. Ond pan ddaeth hi'n amser hysbysu'r gŵr o ateb ei wraig fe aeth pethe o chwith braidd.

'Yn y '*conservatives*', meddwn i, a phawb yn chwerthin.

Roedd y chwerthin yn bwysig i lwyddiant y rhaglen...

Fe ddaeth gweinidog o'r De ar y rhaglen unwaith. Roedd y cwestiwn olaf yn werth £1,000 ond roedd e'n gwestiwn lletchwith i weinidog.

Beth fyddai'r gŵr yn ei gymryd petai e'n cael dôs

---

menyw = gwraig, dynes
rown i = roeddwn i
bryd arall – *another time*
hysbysu – *to inform*
mynd o chwith – *to go wrong*
lletchwith – *awkward*

ofnadwy o annwyd? Llaeth poeth ac *Aspirin*s? Moddion gyda mêl a lemwn? Neu wydred go dda o wisgi a mynd i'r gwely?'

Dyma'r wraig yn pendroni am eiliad. 'Wel, waeth i fi ddweud y gwir, mil o bunnau neu beidio,' medde hi.

'Wel,' meddwn i, 'mae'n rhaid i chi ddweud y gwir.'

'Iawn,' medde hi, 'glased o wisgi.' A'r gynulleidfa'n sibrwd ymysg ei gilydd.

Fe ddaeth y gŵr allan ond ei ateb e oedd, 'Llaeth poeth a mêl cyn mynd i'r gwely.'

Fe fu'n rhaid i fi dorri'r newydd mai wisgi oedd ateb ei wraig.

'Fe ddylwn i fod wedi dweud hynna,' medde fe'n drist, 'waeth dyna'r gwir.'

Fe gostiodd hynny fil o bunnau iddo fe.

Un arall wedyn, a mil o bunnau ar y cwestiwn olaf. 'Sut bajamas oeddech chi'n ei wisgo neithiwr? Un streipog, un plaen neu un blodeuog?'

'Diawch, fydda i byth yn gwisgo pajamas,' medde fe.

Fe ddaeth y wraig ymlaen.

'Nawr 'te, am fil o bunnau, sut bajamas oedd eich gŵr yn ei wisgo neithiwr? Un plaen, un blodeuog, un streipog? Neu doedd e ddim yn gwisgo pajamas o gwbwl?'

'Ddim yn gwisgo un o gwbwl? Jiw, peidiwch â dweud y

---

moddion = ffisig – *medicine*
gwydred = gwydraid
pendroni – *to ponder, to wonder*
waeth i fi ddweud y gwir – *I may as well tell the truth*
sibrwd ymysg ei gilydd – *to whisper amongst each other*
waeth dyna'r gwir – *because that's the truth*

15

fath beth. Un blodeuog,' medde hi.

Ac rwy'n cofio dweud wrthi y byddai hi'n cael sawl pâr o bajamas am fil o bunnau.

Cefn Gwlad

Tua diwedd fy nghyfnod ar Siôn a Siân y cychwynnais i gyflwyno Cefn Gwlad. Am gyfnod byr fe fu'r ddwy raglen yn cydredeg. Ar y cychwyn roedd dau neu dri o gyflwynwyr, Ifor Lloyd, Norman Closs Stephens, Glynog Davies ac yn y blaen. Roedd darnau yn cael eu saethu yn y stiwdio, a darnau eraill y tu allan. A dyma Geraint Rees, y cyfarwyddwr, yn gofyn a fyddwn i'n fodlon bod yn gyflwynydd. Fe dderbyniais yn hapus.

Dyma Geraint wedyn yn gofyn sut byddwn i'n debyg o fynd o'i chwmpas hi. Fy mwriad oedd gwneud rhaglen gartre ar fy fferm fy hun ac i Geraint, wedyn, roi ei farn. Fe saethwyd y rhaglen ac fe'i torrwyd gan Geraint. Roedd e'n fodlon iawn arni, gymaint felly fel y gofynnodd e i fi feddwl am destun arall.

Roedd hyn ar nos Iau ac roedd e am gael y syniad erbyn y dydd Llun wedyn. Fe wnes i feddwl a meddwl ac ar y dydd Sul fe ffoniais Margaret Hughes, Rhoshaflo, Llanfair Caereinion. Rown i wedi gweld Margaret ar un o raglenni Hywel Gwynfryn ac rown i'n teimlo ei bod hi'n dipyn o gymeriad. Un o'r pethe oedd yn ei gwneud

cydredeg – *to run concurrently*
mynd o'i chwmpas hi – *to go about it*
bwriad – *intention*
fe'i torrwyd – *it was cut/edited*
gymaint felly – *so much so*

hi'n arbennig oedd ei thafodiaith hyfryd hi, tafodiaith Maldwyn...

Roedd hi'n adeg y Nadolig ac roedd plygain mawr ymlaen yn yr ardal. Dyma ffonio Margaret. Ond roedd hi yn y plygain. Ar ôl i fi lwyddo i gysylltu â hi fe addawodd gymryd rhan. Fe fu bron iddi hi newid ei meddwl pan ddeallodd y bydden ni yna gyda hi ddydd Llun.

Dyna un o gyfrinachau llwyddiant Cefn Gwlad. Fyddwn ni byth yn rhoi gormod o rybudd i bobl, fel ein bod ni'n siwr o gael tipyn o hwyl byrfyfyr pan gyrhaeddwn ni...

Fe fu'r rhaglen ar Margaret yn llwyddiant mawr, gymaint felly fel iddi ymestyn i ddwy raglen arall, gyda Margaret yn Smithfield ac yn y Sioe Frenhinol. Fe arweiniodd hyn at gyfres o raglenni ar gymeriadau arbennig. Yna fe welwyd datblygiad pellach gyda rhaglenni tymhorol fel rhifyn arbennig ar gyfer y Nadolig. Roedden ni'n ceisio gwneud rhai o'r rheini ychydig bach yn wahanol drwy fynd dramor ar adegau.

Yn rhyfedd iawn, y rhaglenni sy'n plesio fwyaf yw'r

tafodiaith – *dialect*
plygain = gwasanaeth carolau traddodiadol yng Nghymru
addo – *to promise*
fe fu bron iddi hi newid ei meddwl – *she nearly changed her mind*
cyfrinachau – *secrets*
rhybudd – *warning*
byrfyfyr – *spontaneous*
fel iddi ymestyn – *so that it extended*
tymhorol – *seasonal*

rheini pan fydda i yn mynd i dipyn o strach. Mae *Dai ar y Piste* yn enghraifft dda o hyn gan nad oeddwn i erioed, cyn hynny, wedi bod yn sgïo, heb sôn am fod ar y *piste*. Erbyn heddiw rwy wedi dod yn sgïwr gweddol dda. Wna i ddim dweud fy mod yn sgïwr penigamp ond o leiaf fe fedra i sgïo'n ddigon da i fwynhau. Rwy'n medru gwneud y llethrau i gyd, gan ddal i fynd yng nghwmni fy hen gyfaill, Wil yr Hafod.

Roedd y rhaglen gyntaf honno ar y *piste* yn rhaglen arbennig. Doeddwn i erioed yn fy mywyd wedi bod ar yr eira ac rown i fwy ar fy nhin nag ar fy nhraed. Ac roedd e'n dymor pan nad oedd gormod o eira. Yr hyfforddwr oedd gŵr lleol, Pierino, yfflon o gymeriad. *'Oh, for Christ-a sake-a, what-a is a-the matter with you?'* Dyna'i gân e bob tro. Ac roedd ganddo ryw ddywediad arbennig pan fyddai pethe'n mynd o chwith, *'O, sheet-a-da-breeck!'*...

...a dyna i chi'r rhaglenni wnes i yn Eryri, yn dringo ac yn abseilio ac achub. Dringo Tryfan oedd y dasg gyntaf. Nefoedd fawr, anghofia i mo'r profiad byth. Rown i'n ceisio dod o gwmpas clogwyn top Tryfan ond fe wnes i sbïo i lawr ar ffordd Bethesda. Roedd bws yn pasio,

mynd i dipyn o strach – *to get into a bit of a pickle*
penigamp – *excellent*
llethrau – *slopes*
fy nhin – *my backside*
hyfforddwr – *trainer, coach*
yfflon o gymeriad – *quite a character*
dywediad – *saying*
achub – *to save*
anghofia i mo'r profiad byth – *I'll never forget the experience*
clogwyn – *cliff*

roedd e fel tegan Dinky. Fe hedfanodd awyren heibio. Rown i'n medru gweld i mewn drwy'i ffenest hi.

Ac yna ceisio dangos sut byddwn i'n cael fy achub petawn i mewn trafferthion. Enw'r rhaglen arbennig honno oedd *Achub Dai* ac unwaith eto dringo gydag Eric Jones. Rwy'n falch erbyn heddiw i fi ei wneud e. Ond ar y pryd, fel Pierino, '*Sheet-a-da-breeck*' oedd hi.

Rwy'n cofio rhywun yn cyfeirio at y rhaglen honno ac yn dweud wrtha i, 'Roeddet ti siwr o fod yn llenwi dy drowsus.' Sut medrwn i lenwi fy nhrowsus? Roedd y rhaffau'n rhy dynn. Doedd dim lle yn fy nhrowsus.

Fyddwn i byth yn gwneud y pethe hyn eto. Ond dyna beth oedd yn dda am y rhaglenni hyn. Ambell fore fe fyddai hi'n bwrw glaw a ninnau'n meddwl, 'Diawch, fyddai hi ddim yn deg ffilmio hwn a hwn yn ffermio ar y fath dywydd.' Ac yna cael syniad. 'Diawch, fe awn ni i fyny i Eryri i weld Eric. Fe fydd e'n siwr o fod allan ar ryw graig neu'i gilydd.'

A dyna sut roedd llawer o'r pethe hyn yn digwydd. Heb eu trefnu. A diolch am hynny achos fe fyddwn i'n mynd adre gyda'r nos a meddwl beth rown i wedi ei wneud a thyngu na wnawn i byth mohono fe eto. Petawn i'n

cyfeirio at – *to refer to*
rhaffau – *ropes*
tynn – *tight*
hwn a hwn – *so and so*
y fath dywydd – *such weather*
fe awn ni – *we'll go*
tyngu – *to swear*

gwybod ymlaen llaw beth fyddai'n fy wynebu i, fe fyddwn i wedi aros gartre...

Strôc fawr ar ran Cefn Gwlad fu prynu eidion du Cymreig yn Hafod Ifan, Ysbyty Ifan oddi wrth John Hughes, a'i besgi ar gyfer Smithfield. Fe enillodd Gwpan y Frenhines, breuddwyd pawb sy'n arddangos yn Smithfield. Cael y fraint wedyn o ysgwyd llaw â'r hen Fam Frenhines a siarad â hi. Hi'n gofyn o ble rown i'n dod, finne'n dweud wrthi 'mod i'n dod o Lanilar. Doedd ganddi ddim syniad, wrth gwrs, lle roedd Llanilar nes i fi ddweud ei fod e heb fod yn bell o Aberystwyth.
'Oh, I've been there many times,' medde hi. 'The sea looks nice there.'
'Yes,' medde fi, 'but the land looks better than the sea. When you're down next remember to call.'
Gwenu wnaeth hi a dweud y byddai hi'n gwneud. Wnaeth hi byth alw.

Ond fe ddigwyddodd peth llawer rhyfeddach i fi pan own i'n sylwebu yn y Sioe Frenhinol un flwyddyn, gwaith fyddwn i'n ei rannu â Charles Arch...

Ar y flwyddyn arbennig hon roedd y Dywysoges Anne, oedd yn briod â Mark Phillips ar y pryd, i ddod i

strôc fawr – *great achievement*
eidion du Cymreig – *Welsh Black*
pesgi – *to fatten*
braint – *honour*
y fam frenhines – *the queen mother*
wnaeth hi byth alw – *she never called*
llawer rhyfeddach – *much stranger*
sylwebu – *to commentate*

Lanelwedd fel y prif westai. Roedd pobl wedi'u penodi i'w chroesawu hi. A phan fydd ymweliad Brenhinol fe gewch chi weld byddigions yr hetiau duon yn closio at y Frenhiniaeth adeg y *Royal Luncheon* gyda'r canlyniad mai dim ond fi a Charles fyddai'n sylwebu dros yr awr ginio. Roedd cawl a chig eidion yn ddigon da i Charles a fi.

Roedd y cyhoeddwyr oedd i fod i groesawu'r Dywysoges ar y corn siarad wedi gadael am ginio gan roi'r dyletswydd ar ysgwyddau Charles. Ond tra oedd Charles yn y lle chwech fe gyrhaeddodd y Dywysoges yn gynnar, a dyma'r neges yn dod i fi gyflwyno'r fenyw. Fe wnes i falu awyr am sbel ac yna dyma fi'n llusgo'r cyflwyniad gymaint ag a fedrwn i. Oeddwn, roeddwn i wedi anghofio enw'r fenyw. Yn fy myw fedrwn i ddim cofio ei henw hi. Rown i'n gweddïo y byddai Charles yn cyrraedd a chymryd drosodd. Ond na.

y prif westai – *the principal guest*
penodi – *to appoint*
byddigions = pobl bwysig
brenhiniaeth – *royalty*
corn siarad – *loudspeaker*
lle chwech – *toilet*
malu awyr – *to waffle*
llusgo'r cyflwyniad gymaint ag a fedrwn i – *to drag out the presentation as much as I could*
yn fy myw – *for the life of me*
gweddïo – *to pray*

Ymlaen â fi, ac o'r diwedd, ar ôl rhedeg allan o bopeth fedrwn i ei ddweud dyma fi'n gofyn i bawb estyn croeso cynnes i Mrs Phillips. Fe fu'r stori honno yn y papurau y diwrnod wedyn. Fe roddwyd sylw mawr i'r ffaith i gyflwynydd teledu groesawu'r Dywysoges Anne fel Mrs Phillips. Wnaeth hi ddim cwyno. Ond mae gen i deimlad fod yr hen foi oedd mewn het bowler gyda hi yn y cylch wedi llenwi ei drowser.

ymlaen â fi – *I continued*

CYFRES Y CEWRI

Gwyn Pierce Owen

Yn y gyfrol *C'mon Ref*, rydyn ni'n cael hanes Gwyn Pierce Owen, athro, ffermwr a gŵr busnes llwyddiannus. Ond yn fwy arbennig mae'r llyfr yn disgrifio Gwyn Pierce Owen y dyfarnwr pêl-droed sydd wedi bod yn dyfarnu gêmau pêl-droed yng Nghymru, ym mhrif glybiau Lloegr ac mewn gwledydd eraill. Mae'r llyfr yn llawn hanesion diddorol, a rhai doniol iawn, am ei helyntion ym myd pêl-droed.

Yn y darn nesaf mae Gwyn Pierce Owen yn cofio am wythnos arbennig iawn yn ei hanes, pan oedd rhaid iddo fe deithio i Bratislava i ddyfarnu mewn gêm rhwng Inter Bratislava a Grasshoppers Zurich yng nghymal cyntaf ail rownd Cwpan UEFA.

Plêns, Trêns ac Otomobîls

Dw i'n gallu dweud yn gwbl onest fy mod wedi ystyried pob un gwahoddiad i deithio i gynrychioli Cymru fel dyfarnwr neu lumanwr gyda chryn falchder. Roedd o'n dipyn o anrhydedd cael y gwahoddiad yn y lle cyntaf, ac

anrhydedd – *honour*
dyfarnwr – *referee*
helyntion – *adventures*
cymal cyntaf – *first leg*
ystyried – *to consider*
cynrychioli – *to represent*
llumanwr – *linesman*
gyda chryn falchder – *with great pride*

roedd y profiadau a gefais 'ar daith' yn amhrisiadwy ac yn agoriad llygad.

Ond, yn ogystal â bod yn anrhydedd, rhaid nodi eu bod nhw'n gallu bod yn uffernol o flinedig hefyd, ac wedi tair noson heb wely, dw i'n gallu dweud yn glir mai'r daith i Bratislava bell yng nghanol mis Hydref 1977 oedd yr un fwyaf blinedig. Cofiwch, roedd hi'n wythnos galed heb sôn am deithio i bellafoedd Ewrop:

Dydd Sadwrn, 15 Hydref
Teithio o Dde Cymru i ddyfarnu gêm y *Welsh League South* rhwng Caerdydd a Phen-y-bont ar Barc Ninian. Teirpunt o ffi a theirpunt o gostau teithio.

Dydd Sul, 16 Hydref
Mynychu profion iechyd a ffitrwydd UEFA a FIFA yn stadiwm Cwmbrân, cyn dychwelyd yn ôl i Fôn am ychydig oriau o gwsg.

Dydd Llun, 17 Hydref
Gweithio yn ysgol Llanddona cyn cychwyn am Spotland yn Rochdale i ddyfarnu gêm ddi-sgôr rhwng y tîm cartre a Huddersfield Town. Wedi'r gêm gyrrais i Faes Awyr

amhrisiadwy – *priceless*
uffernol – *terrible (lit. hellish)*
pellafoedd – *the far ends of*
teirpunt = tair + punt
mynychu – *to attend*

Manceinion gan dreulio noson ddigon anghyfforddus yn rhyw hanner cysgu ar feinciau annifyr.

Dydd Mawrth, 18 Hydref

Y bwriad oedd dal ffleit am ddeg o'r gloch y bore o Fanceinion i brifddinas Tsiecoslofacia, sef Prague. Wel, dyna oedd fy mwriad beth bynnag, ond oherwydd niwl trwchus ar gyfandir Ewrop cafodd y ffleit ei gohirio am bum awr, gan gychwyn am Prague ychydig wedi tri yn y prynhawn. Wrth gwrs, ar ôl cyrraedd Prague o'r diwedd cefais glywed fod yr awyren olaf i Bratislava am y dydd wedi ymadael!

Ar ôl gweld Clive Thomas yn dangos ei awdurdod flwyddyn yn gynharach ym maes awyr Moscow, gofynnais i'n ddigon cadarn am westy am y noson, ond daeth ateb fod pob un gwesty'n llawn y noson honno. Tipical! Doedd dim dewis felly ond setlo am y noson yn y maes awyr oeraidd a chyntefig, gan obeithio'n fawr na fyddai'r niwl yn dod yn ôl i'n rhwystro yn y bore...

Ar ôl troi a throsi i geisio canfod y man delfrydol,

anghyfforddus – *uncomfortable*
meinciau annifyr – *uncomfortable benches (lit. unpleasant)*
bwriad – *intention*
cyfandir – *continent*
gohirio – *to postpone*
yn ddigon cadarn – *firmly enough*
cyntefig – *primitive*
rhwystro – *to prevent*
troi a throsi – *to toss and turn*
man delfrydol – *the ideal position*

llwyddais i gysgu ond yna daeth rhyw foi ataf a dweud fod yna alwad ffôn imi. Rhywun o glwb Inter Bratislava oedd ar ben arall y lein yn cynnig, mewn Saesneg eitha bratiog, ein bod ni'n cymryd tacsi yn syth bin i Bratislava, ac y byddai'r clwb yn talu am y siwrne wedi i ni gyrraedd pen y daith. Roedd hi'n ymddangos fod y tywydd am waethygu ac na fyddai posib hedfan o Prague yn y bore.

Dydd Mercher, 19 Hydref

Felly tacsi amdani, a'r daith fwyaf uffernol imi erioed ei dioddef. Yn ôl protocol y tîm dyfarnu, roedd hi'n arferol i'r dyfarnwr eistedd yn sedd flaen unrhyw dacsi, ond roeddwn yn poeni am y siwrne hyd yn oed cyn mynd i mewn i'r tacsi, ac felly dyma sleifio i'r cefn gan adael i un o'm cynorthwywyr gael y fraint o gadw cwmni i'r gyrrwr! Roedd y dreifar eisoes wedi cwblhau diwrnod llawn o waith, ond er ei bod hi'n andros o siwrne hir a blinedig doedd o ddim am wrthod ychwanegiad sylweddol i'w gyflog. Ond â'i gorff yn ysu am wely a chwsg, cyn hir roedd o'n dechrau pendwmpian a'r tacsi yn dechrau gwyro o un ochr i'r lôn i'r llall. Diolch i'r drefn mai dim

bratiog – *imperfect*
yn syth bin = ar unwaith
siwrne – *journey*
sleifio – *to sneak*
braint – *honour*
ychwanegiad sylweddol – *a substantial addition*
ysu am – *to long for*
pendwmpian – *to nod off*
gwyro o un ochr i'r llall – *to swerve from side to side*
lôn = ffordd
diolch i'r drefn – *thankfully*

ond ar ôl dod adref yr edrychais ar atlas a chael braw wrth weld ein bod ni wedi teithio i lawr traffordd y D1, dros y Morovian Heights hynod uchel, a hynny mewn niwl trwchus gyda gyrrwr cysglyd!

Rhywsut neu'i gilydd, erbyn pedwar o'r gloch y bore roedden ni dros hanner ffordd, ond wrth gyrraedd tref Brno, fe dorrodd y ffanbelt! Ar ôl i'r gyrrwr gael ychydig o funudau i ddod ato'i hun, fe lwyddodd i drwsio'r nam ac i ffwrdd â ni unwaith eto fel rhyw gystadleuwyr yn y *Wacky Races*. A dweud y gwir, roedd hi'n wyrth ein bod ni ar y lôn o hyd, ac yn fwy gwyrthiol ein bod ni ar y lôn gywir, ond fe newidiodd hyn cyn hir! Ar gyrion Brno daethom at groesffordd gydag arwydd yn dweud Bratislava i'r chwith a Wien (Fienna) yn syth ymlaen. A beth oedd dewis y diawl gwirion? Wel, cario ymlaen am Wien ac Awstria wrth gwrs! Ceisiais dynnu ei sylw at ei gamgymeriad ond ymlaen yr aeth o yn ddigon bodlon. Efallai ei fod o'n gwybod am ryw *short-cut* go handi meddyliais, ond awr a hanner yn ddiweddarach, wedi stopio am betrol fe drodd y cythraul y tacsi gan yrru yn ôl ar hyd yr union ffordd y buom yn teithio arni ynghynt. Ac wedi cyrraedd y groesffordd yr eilwaith fe wenodd wrth bwyntio at arwydd Bratislava cyn troi am ddinas fwyaf Slofacia.

rhywsut neu'i gilydd – *somehow or other*
dod ato'i hun – *to recover his senses*
nam – *fault*
i ffwrdd â ni – *away we went*
gwyrth – *miracle*
tynnu sylw at – *to draw attention to*
ynghynt – *before*
yr eilwaith – *the second time*

Ar ôl nos Lun ym maes awyr Manceinion a nos Fawrth ym maes awyr Prague ac mewn tacsi trafferthus, braf oedd cyrraedd ein gwesty tuag wyth o'r gloch yn y bore. Ac ar ôl ffarwelio â'r gyrrwr tacsi druan cawsom bryd o fwyd a oedd un ai'n swper, brecwast neu ginio, a rhyw ddwyawr bleserus iawn o gwsg mewn gwelyau go iawn!

Dw i'n siwr y basem wedi cysgu am oriau maith, ond rhaid oedd cofio fod gennym waith i'w wneud am dri o'r gloch y prynhawn hwnnw, sef cadw trefn ar dimau Inter Bratislava a Grasshoppers Zurich yng nghymal cyntaf ail rownd y Cwpan UEFA. Un gôl i ddim oedd hi ar y diwedd i Inter Bratislava. Ond ta waeth am y gêm, roedd y tri ohonom ni o Gymru yn edrych ymlaen yn fawr at bryd o fwyd blasus, peint neu ddau a noson fywiog cyn cael rhai oriau o gwsg ym moethusrwydd y gwesty. Wel dyna oedd ein bwriad ni ar ddiwedd y gêm ta beth ond, fel popeth arall ar y daith hon, rhaid oedd newid ein cynlluniau ar fyr rybudd. Er mawr siom, cawsom wybod fod y niwl trwchus yn parhau i greu trafferthion ofnadwy i gwmnïau awyrennau, a bod ein ffleit ni yn ôl i Prague drannoeth eisoes wedi ei dileu. Yr unig ddewis oedd

---

trafferthus – *troublesome*
un ai'n ... neu'n ... = naill ai'n ... neu'n ... – *either ... or...*
cadw trefn – *to keep order*
ta waeth am y gêm – *regardless of the game*
moethusrwydd – *luxury*
ar fyr rybudd – *at short notice*
er mawr siom – *to our great disappointment*
dileu – *to cancel*
oni bai – *unless*
hunllefus – *nightmarish*

gennym, oni bai ein bod am daith hunllefus arall mewn tacsi, oedd dal y *Budapest-Berlin Express* y noson honno.

Er mai ychydig iawn o amser gawson ni yn ninas Bratislava cawsom amser da yng nghwmni ein tywysydd swyddogol. Roedd o'n feddyg yn Bratislava ac fe soniodd yn gwbl agored am ei dristwch a'i rwystredigaeth bersonol. Roedd y meddyg a'i wraig wedi bod yn anhapus gyda'i gilydd ers blynyddoedd bellach, ond nid oedd hi'n bosib cael ysgariad dan gyfraith gwlad Tsiecoslofacia. Cododd ei ysbryd ychydig wrth sgwrsio, bwyta ac yfed gyda ni, ond cefais gerydd llym ganddo pan ofynnais yn ddigon diniwed, yng nghanol y tŷ bwyta, beth yn union oedd ystyr *'visi ja'*. Yn ystod y gêm roeddwn wedi sylwi fod chwaraewyr Inter yn dweud y geiriau bron bob yn ail frawddeg. Edrychodd y meddyg arnaf yn syn, cyn sibrwd yn frysiog imi dawelu, gan mai ystyr 'visi ja' oedd 'ff★★★★ hell'! Ond er ei fod o wedi cynhyrfu wrth fy nghlywed yn gofyn yn uchel fy llais, chwerthin a wnaeth o wrth weld fy niniweidrwydd, chwarae teg iddo.

Sawl gwaith ar ôl cyrraedd adref bûm yn meddwl am ddau beth am fy nhaith i Bratislava; yn gyntaf, tybed beth ddigwyddodd i briodas y meddyg, ac yn ail, a

---

tywysydd swyddogol – *official guide*
rhwystredigaeth bersonol – *personal frustration*
cerydd llym – *severe reprimand*
yn ddigon diniwed – *quite innocently*
diniweidrwydd – *innocence*

lwyddodd y gyrrwr tacsi i gyrraedd yn ôl yn ddiogel at ei deulu yn Prague.

Ond yn ôl yn Bratislava, rhaid oedd ffarwelio â'n ffrindiau dros dro, a dal y trên am Prague. Roedd yna batrwm o fethu â chysgu wedi datblygu erbyn hyn. Ar un llaw, roedd y trên yn orlawn ac yn swnllyd, gyda'r casglwr tocynnau sych yn dod heibio bob hanner awr i archwilio'n tocynnau a'n pasportau. Ond ar y llaw arall, roedd arnom ofn syrthio i gysgu rhag ofn inni fynd i ryw drwmgwsg a methu Prague yn gyfangwbl! Trydedd noson heb wely ac ychydig iawn o gwsg felly.

Dydd Iau, 20 Hydref
Ar ôl cyrraedd Prague yn oriau mân y bore, rhaid oedd dal tacsi i faes awyr Ruzyne, ond doedd yr hunllef deithiol ddim ar ben. Oedd, roedd y niwl yn dal yn drech na'r dechnoleg radar a bu'n rhaid disgwyl am bedair awr ychwanegol cyn cychwyn am Brydain.

Braf iawn oedd cyrraedd adref a chael gwely go iawn am y tro cyntaf ers y nos Sul flaenorol. Ac ymysg y biliau a'r llythyrau oedd yn fy nisgwyl ar fwrdd y gegin roedd

dros dro – *temporary*
sych – *unsociable*
archwilio – *to inspect*
trwmgwsg = cwsg trwm – *heavy sleep*
methu – *to miss*
hunllef – *nightmare*
yn drech na – *(to get the) better of*
yn gyfangwbl – *completely*
blaenorol – *previous*
ymysg – *among*

cerdyn post yn gofyn imi ddyfarnu gêm ar Barc Edgeley
y prynhawn Sadwrn hwnnw rhwng Stockport County ac
Abertawe.

Dydd Gwener, 21 Hydref
Dychwelyd i'm gwaith fel Prifathro Ysgol Llanddona.
Talu biliau am betrol, *service* i'r car ac un bunt ar hugain
am adnewyddu'r drwydded deledu. Archebu carafan o
Barc Carafan Lligwy.

Dydd Sadwrn, 22 Hydref
Teithio i Stockport er mwyn dyfarnu'r gêm yn erbyn
Abertawe. Roedd hi'n ddi-sgôr ar yr egwyl a doedd y
cefnogwyr cartre ddim yn hapus gyda pherfformiad eu
tîm, ond yr arbennig perfformiad y dyfarnwr. '*Go home
you Welsh git*' a '*Sheepshagger*' oedd y cyfarchion mwyaf
clên a dderbyniais yn Stockport y prynhawn hwnnw!
Ond roedden nhw'n hapusach ar ddiwedd y gêm wrth i
Stockport guro Abertawe o ddwy gôl i ddim. Diddorol
oedd darllen geiriau'r aseswr yn hwyrach, '*You visibly
tired in the last ten minutes.*' Nefoedd yr adar, roedd o'n
lwcus fy mod i'n gallu sefyll, heb sôn am redeg i fyny ac
i lawr y cae am awr a hanner!

adnewyddu – *to renew*
y cyfarchion mwyaf clên – *the kindest greetings*
nefoedd yr adar – *good grief*

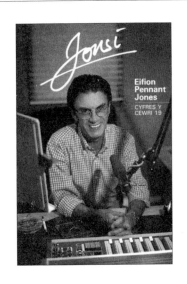

Jonsi

Eifion
Pennant
Jones

CYFRES Y
CEWRI 19

CYFRES Y CEWRI

Eifion Pennant Jones

Paul Ayden... Adrian Jones... Jonsi – dyma enwau eraill Eifion Pennant Jones, y cyflwynydd radio poblogaidd.

Mae e wedi cael gyrfa liwgar iawn – yn gweithio fel prentis gyda'r bwrdd nwy, yn gweithio mewn garej ac mewn warws, yn gyrru fan, yn gosod erials teledu, yn gweithio mewn siop ddillad. Mae e wedi gwneud gwaith fel 'extra' ar raglenni teledu poblogaidd fel *Coronation Street, Boon, Prime Suspect, Medics*; ac mae e wedi bod yn aelod o grŵp pop.

Mae ganddo ddiddordeb mawr mewn pêl-droed – fel gwyliwr ac fel chwaraewr – ac mae e wedi chwarae i nifer o dimau.

Ond fel DJ mae e'n adnabyddus heddiw – ac mae e wedi cael gyrfa liwgar fel DJ hefyd. Dechreuodd e yn Ysbyty Môn ac Arfon ac mae e wedi gweithio i CBC – Cardiff Broadcasting Company, Sain y Gororau / Marcher Sound a Marcher Gold, ger Wrecsam, Radio Shropshire, Radio'r Glannau a nawr mae e'n gweithio i Radio Cymru.

Mae'r darn sy'n dilyn yn dechrau pan oedd Jonsi'n gweithio yn Radio Shropshire, pan oedd e'n meddwl symud ymlaen.

gyrfa liwgar – *a colourful career*
warws – *warehouse*
gwyliwr – *spectator*

Dros y ffin am y tro cyntaf

Roeddwn i'n teimlo braidd yn anniddig yn Sir Amwythig, ac felly byddwn i'n darllen y papurau'n aml iawn i weld pa joban oedd yn mynd. Mae gan y BBC bapur wythnosol sy'n rhoi gwybod i bawb o'r gweithwyr pa swyddi sydd ar gael ym mhob man drwy'r gorfforaeth. Mi sylwais i fod Radio Cymru yn chwilio am gynhyrchydd i raglen Hywel Gwynfryn yng Nghaerdydd. Oedd, roedd hon yn apelio ac anfonais i am y ffurflen gais. Ar ôl llenwi'r holl fanylion – popeth ond lliw fy ngwallt! – mi ges i wahoddiad i Gaerdydd i drïo am y swydd. Ar ôl cyrraedd yr ystafell roeddwn i'n synnu i weld faint o bobl oedd yn eistedd o gwmpas y bwrdd. Wrth weld cymaint ohonyn nhw mi feddyliais i yn syth nad oeddwn i'n ffansïo'r job yma. Dim ond un cwestiwn dwi'n gofio: oeddwn i'n gwrando ar Radio Cymru?

'Ddim yn aml,' oedd fy ateb. 'Ond mae fy nhad yn wrandäwr cyson. A dyna'r broblem sydd gynnoch chi dwi'n meddwl; mae'n rhaid i chi ddenu pobl ieuengach neu fe fydd Radio Cymru yn marw.'

Fe edrychon nhw arna i gystal â dweud pwy gythral ydi hwn yn dod yma i ddeud wrthon ni be' i wneud. Ches i

braidd yn anniddig – *rather restless*
joban = swydd – *job*
corfforaeth – *corporation*
synnu – *to be surprised*
gwrandäwr cyson – *regular listener*
denu – *to attract*
gystal â dweud – *as if to say*
pwy gythral ydi hwn – *who the devil is this*

mo'r swydd wrth gwrs. Ychydig a feddyliwn i y byddwn i, ymhen chwe blynedd, yn gweithio i Radio Cymru yn ceisio denu cynulleidfa iau.

Yn fuan iawn ar ôl hyn, roeddwn i eisiau gadael Radio Shropshire a phenderfynu trïo fy lwc yn gweithio mewn gwahanol rannau o Loegr fel *freelance* go iawn. Roeddwn i'n teimlo fel hyn achos bod newid penaethiaid yn yr orsaf radio ac roeddwn i'n teimlo na fyddai fy steil yn gweddu i'r pennaeth newydd. Ond cynigiodd ddau ddiwrnod o waith i mi – sylfaen weddol dda i ddechrau wythnos heb gyflog rheolaidd.

Mi ges i wneud un peth oedd yn sicr yn apelio. Ar bnawn Sadwrn byddwn i'n cael cyflwyno rhaglen chwaraeon. Oherwydd fy niddordeb mewn pêl-droed a'r ffaith fy mod i wedi cael treial i Shrewsbury Town ac yn cefnogi Nottingham Forest, roedd gen i ychydig o gefndir i wneud y gwaith. Doeddwn i ddim yn gallu aros am y Sadyrnau. Achos bod popeth yn digwydd ar y pryd, ac achos bod yn rhaid cysylltu â sawl cae, does dim byd gwell i gael yr hen adrenalin i lifo. Mae un achlysur sy'n fy ngwneud i'n oer bob tro y bydda i'n meddwl amdano fo neu'n clywed enw Hillsborough. Fi oedd yn cyflwyno pan oedd y newyddion am y drychineb honno'n torri ac

ychydig a feddyliwn i – *little did I think*
gweddu – *to suit*
sylfaen weddol dda – *a fairly good foundation*
ar y pryd – *live*
llifo – *to flow*
achlysur – *occasion*
trychineb – *tragedy*

39

roedd pethau'n mynd yn waeth wrth y funud. Yr hyn oedd yn ei gwneud yn ofnadwy i mi oedd fy mod i a Paul Mewis o Marcher yn Leppings Lane y flwyddyn cynt. Lerpwl a Nottingham Forest oedd yn chwarae yno yn rownd gyn-derfynol y cwpan y tro hwnnw hefyd. Y diwrnod hwnnw, yn ogystal, roedd hi mor uffernol yn y rhan honno o'r cae fel ein bod ni wedi symud o Leppings Lane i ran arall y cae. Pan oedd y stori'n dod drwodd am y digwyddiadau yng nghae Sheffield Wednesday y pnawn Sadwrn hwnnw yn Ebrill 1989 roeddwn i'n teimlo rhyw chwys oer yn dod drosto i. Roeddwn i'n cofio'r teimlad o ofn ges i yn yr un lle y flwyddyn cynt pan oedd yr un timau'n chwarae. Mor hawdd y gallai hyn fod wedi digwydd pan oedd y ddau ohonon ni yno. Roedd hwnnw'n bnawn emosiynol iawn ac roedd cyflwyno ar y fath ddiwrnod yn brofiad chwerw iawn. Fyddwn i ddim eisiau gwneud y fath beth byth eto.

Mae eisiau tipyn o fenter i fynd ar eich liwt eich hun ond roeddwn i'n teimlo fy mod i wedi cael profiad mewn tair gorsaf wahanol erbyn hynny. O leiaf roedd gen i gefndir o weithio i radio annibynnol a'r BBC ac roeddwn i wedi bod yn rhan o gychwyn dwy orsaf hefyd. Fe olygodd y newid yma yn fy mywyd fy mod i'n teithio mwy nag a

yr hyn – *what*
y rownd gyn-derfynol – *the semifinal*
chwys – *sweat*
profiad chwerw – *a bitter experience*
y fath beth – *such a thing*
tipyn o fenter – *a sense of adventure/enterprise*
ar eich liwt eich hun – *freelance*
golygu – *to mean*

wnes i erioed, un diwrnod yn Birmingham a'r nesaf ym Manceinion, y diwrnod wedyn yn Leeds a diwedd yr wythnos yn Llundain. Gweithio i orsafoedd radio annibynnol oeddwn i amlaf ac roeddwn i'n cael gwaith pan oedd cyflwynwyr arferol ar eu gwyliau. Dro arall roeddwn i'n lleisio hysbysebion ar gyfer radio. Roedd o'n amser braf ac roeddwn i'n ennill mwy o bres wrth weithio dau neu dri diwrnod nag roeddwn i am wythnos lawn yn Wrecsam a'r Amwythig. Wrth edrych yn ôl fe fuodd hi'n flwyddyn brysur a chyffrous. Mi wnes i bethau na fyddwn i wedi cael cyfle i'w gwneud nhw fel arall.

Mi ges i gyfle i wneud mwy na chyflwyno'n unig. Oherwydd y profiad yn Radio Shropshire roedd gen i fwy i'w gynnig ac roeddwn i'n awyddus i wneud rhaglenni a'u gwerthu i wahanol orsafoedd. Un syniad ges i oedd trefnu rhaglen efo Pete Best, drymiwr cyntaf y Beatles. Fe gafodd o ei gicio allan o'r grŵp wrth iddyn nhw ddechrau dod yn enwog. Mynd i weithio efo pobl y dreth incwm wnaeth o ar ôl gadael y Beatles a dyna lle des i ar ei draws. (Nid bod pobl y dreth incwm ar fy ôl i cofiwch!)

'The Fifth Beatle' oedd enw'r rhaglen ddwy awr wnes i efo Pete Best. Roedd hi'n dipyn o sgŵp achos doedd o ddim wedi siarad am ei brofiadau ar y radio o'r blaen.

dro arall – *at other times*
lleisio – *to voice*
fel arall – *otherwise*
awyddus – *keen*
dod ar draws – *to come across*

Oherwydd hynny roedd y gwahanol orsafoedd yn fodlon prynu'r rhaglen ddwy awr, nid yn unig yn Lloegr ond mewn gwahanol rannau o'r byd. Oedd o'n ddyn chwerw am iddo gael ei hel o'r grŵp mwyaf a welwyd erioed? Oedd, am ychydig, meddai, ond doedd ganddo fo ddim dewis ond byw efo beth ddigwyddodd.

'Dw i'n dal yn fyw ac mae gen i deulu ardderchog,' meddai. 'Mae John Lennon yn farw.'

Y Brenin ei hun oedd testun rhaglen ddwy awr arall wnes i – *Elvis – A Golden Celebration.* Mi wnes i hon i nodi dengmlwyddiant ei farwolaeth. Dyma pryd gwelais i mor anodd oedd hi i wneud rhaglen fel yma heb ddigon o arian i dalu am y deunydd. Roeddwn i wedi meddwl cael darnau archifol o America ond am eu bod nhw mor ddrud doedd dim digon o bres i'w prynu nhw. Roedd rhaid cael llai o'r rheiny a rhagor o artistiaid o'r ochr yma i'r dŵr i siarad amdano, pobl oedd yn ei gofio fo yn y pum degau a'r chwe degau. Mi wnes i ddysgu fod Elvis yn *big bucks* o hyd yn America a bod arian yn llifo mwy nag erioed i'w gronfa goffa.

Yn yr un cyfnod mi ges i gomisiwn i wneud rhaglen awr a hanner am Slade. Yn y saith degau fe werthodd y grŵp

am iddo gael ei hel o – *because he had been kicked out*
testun – *subject*
nodi – *to mark*
dengmlwyddiant – *10th anniversary*
deunydd – *material*
darnau archifol – *archival clips*
cronfa goffa – *memorial fund*

o Wolverhampton fwy o recordiau drwy'r byd na phob grŵp ond ABBA. *15 years of Slade* oedd enw'r rhaglen ac roedden nhw'n dweud eu hanes yn mynd rownd y byd i ganu. Fe aeth y rhaglen rownd y byd hefyd...

Dydy cael cynnig i wneud rhaglen radio efo Tom Jones ddim yn dod i ran rhywun bob dydd o'i fywyd. Yn 1986 roeddwn i wedi cael cyfweliad ar y ffôn efo'r canwr o Bontypridd. Ymhen rhai blynyddoedd wedyn roedd hi'n amser reit galed arno fo efo gwerthu ei recordiau, ac mi ges i alwad ffôn gan ei gwmni recordiau yn Llundain, yn gofyn a fyddwn i'n barod i holi Tom Jones am ei albwm newydd, oedd yn dod allan yn fuan. Mi ddwedais i wrth y ferch fod gen i rif iddo yn America ers y tro cynt ac y byddwn i'n cysylltu â fo. Cael gair efo'i fab wnes i, sef ei reolwr. Wrth lwc, roedd o'n cofio ein sgwrs ni y tro diwethaf ond yn lle cynnal cyfweliad ar y ffôn dyna fo'n cynnig i mi eu cyfarfod yn Llundain gan eu bod yn dod drosodd yn fuan. Mi fyddwn i'n siwr o gael caniatâd i'w holi dim ond i mi drefnu efo'r cwmni recordiau. Fe roddodd rif ffôn yn Llundain i mi gysylltu â nhw pan fydden nhw wedi cyrraedd.

Pan ffoniais i'r ferch o Chrysalis Records i sôn am y sgwrs ges i efo mab Tom Jones fe gynigiodd hi dalu i mi fynd i lawr i'w holi. Dw i'n cofio cerdded i mewn i'r *Penthouse Suite* crand 'ma yn Llundain, heb fod yn siwr

cynnig – *an offer*
dod i ran rhywun – *to come someone's way*
ymhen rhai blynyddoedd wedyn – *some years later*
y tro cynt – *the previous occasion*

iawn beth i'w ddweud wrth ddyn o'r fath. Y peth cyntaf ddaeth i 'mhen i oedd cyfeirio at ei daldra. Doedd o ddim mor dal ag oeddwn i wedi'i ddychmygu am ryw reswm, ac roedd o'n nes i'm seis i! Chwerthin wnaeth o a 'ngwadd i i eistedd i ni gael dechrau sgwrsio. Yno buon ni am bron bedair awr yn recordio ac yn cael ei hanes o'r dechrau. Roedd o'n ddyn dymunol iawn ac yn barod i ateb pob cwestiwn mor llawn â phosib.

Siarad am rygbi wnaethon ni am dipyn cyn dechrau sôn am ei ddyddiau canu. Mae hanes Tom Jones yn enghraifft berffaith o'r lwc sydd ei angen yn y busnes. Fel roedd o'n dweud wrtha i, digwydd bod yn Y Rhondda dros y Sul yn gweld ei fam roedd Gordon Mills, y dyn ddaeth yn rheolwr iddo ar ddechrau ei yrfa broffesiynol. Daeth brawd Mills heibio i'r tŷ a'i berswadio fo i fynd efo fo i glwb y Top Hat yng Nghwmtyleri. Doedd o ddim eisiau mynd o gwbl. Yn y clwb y noson honno roedd *'Tommy Scott and the Senators'* yn canu. Roedden nhw yno am fod rhywun arall yn sâl. Ar ôl ei glywed o'n canu fe aeth Mills at Tommy Scott (Tom Jones) a dweud wrtho fo: 'Fe ddylet ti fod yn Llundain.' 'Dw i'n gwybod sut i fynd yno,' meddai Tom Jones, 'ond be' dw i'n wneud pan fydda i wedi cyrraedd yno?' 'Rho dy gyfeiriad i mi,' meddai Gordon Mills. Cyn

cyfeirio – *to refer to*
taldra – *height*
dychmygu – *to imagine*
yn nes i'm seis i – *nearer my size*
ngwadd < gwahodd – *to invite*
dymunol – *pleasant*

hir, fe gafodd o lythyr yn gofyn iddo recordio *It's not unusual* fel *demo disc* i'w rhoi i reolwyr Sandie Shaw. Fe wnaeth o hynny ond doedd gan y rheolwyr ddim diddordeb. Fyddai hi byth yn hit, medden nhw. Mi berswadiodd Tom Jones Gordon Mills i gynnig y *demo* i gwmnïau eraill yn Llundain a'r unig un i fachu oedd Decca. Fe fentron nhw ryddhau'r record pan nad oedd neb yn gwybod pwy oedd y Cymro o Bontypridd. Ymhen mis neu ddau roedd yn rhif un yn y siartiau.

Fe ddaeth y rhaglen yn dwt at ei gilydd ar ôl i'r pedair awr gael eu chwynnu i awr. Doedd dim pwrpas ei gwneud hi'n hirach na hynny neu fyddai neb yn ei phrynu. Gan fy mod i'r gweithio i Marcher Gold nhw gafodd ei darlledu hi gyntaf er iddi hi gael ei gwerthu i wahanol orsafoedd wedyn. Mi ges i gwmni o America i wneud y gwaith gwerthu i mi gan ei bod yn haws o lawer i rywun profiadol wneud hynny, er eu bod yn cymryd canran o'r gwerthiant. Fe aeth y rhaglen i bellafoedd byd – Awstralia, Seland Newydd a thrwy'r BFBS, y gwasanaeth i'r lluoedd arfog ...

Flynyddoedd ar ôl i Gordon Mills farw'n ddyn ifanc mi

bachu – *to take the bait (lit. to hook)*
mentro – *to take a chance*
rhyddhau – *to release*
yn dwt – *neatly*
chwynnu – *to edit (lit. to weed)*
darlledu – *to broadcast*
canran – *percentage*
gwerthiant – *sales*
i bellafoedd byd – *to the far corners of the world*
lluoedd arfog – *armed forces*

wnes i gyfarfod ei wraig, Jo. Hi oedd un o'r rhai oedd yn gyfrifol am ddechrau cwmni recordiau newydd *Juice Records*. Ar y pryd roeddwn i'n cadw llygad ar rai artistiaid fyddai â rhyw obaith o wneud record ac mi ges i wahoddiad i'w chartref i'w trafod nhw efo hi a'i phartneriaid. Ar ôl i mi gyrraedd Weybridge yn Surrey roedd car yn mynd â fi i'r tŷ lle roedd hi'n byw – *Little Rhondda*. Doeddwn i erioed wedi bod mewn tŷ mor grand yn fy myw. Yn un rhan ohono roedd bar oedd gymaint â'r rhai rydych chi'n gweld yn y llefydd mwyaf yn Llundain. Er mor fawr oedd o roedd o'n eitha sych wedi i'r criw oedd yno orffen â'r lle! Mi ges i aros yn y Rhondda Fach am ddwy noson, yn y stafell roedd Gilbert O'Sullivan wedi byw ynddi hi am flwyddyn pan oedd o ar lyfrau Gordon Mills. Fo oedd ei reolwr o, yn ogystal â Tom Jones ac Engelbert Humperdink.

Hit fawr Gilbert O'Sullivan yn 1973 oedd cân o'r enw *Clair*. Hon oedd merch ieuengaf Gordon a Jo Mills ac roedd y gân wedi'i sgrifennu pan oedd hi'n fychan. Pwy oedd yn y bar mawr y noson gyntaf roeddwn i yno ond Clair, yn bymtheg oed erbyn hynny. Braidd yn ifanc oedd hi i mi o hyd ond mi fues i'n siarad â hi am ryw ddwy awr yng nghanol yr holl rialtwch oedd yno'r noson honno. Roedd yn fraint fawr i mi gyfarfod â'r ferch oedd yn destun cân lwyddiannus Gilbert O'Sullivan.

fyddai â rhyw obaith... – *who would have some hope of*
yn fy myw – *in my life*
rhialtwch – *merriment*
braint – *honour*
testun – *subject*

Hogyn o Sling
John Ogwen
—Cyfres y Cewri 16—

CYFRES Y CEWRI

John Ogwen

Beth ydy Sling? Neu, yn fwy cywir, ble mae Sling?

Pentref bach ydy Sling – hanner ffordd rhwng Tregarth a Mynydd Llandygái, tua phedair milltir o Fethesda, a chwe milltir o Fangor – lle y cafodd John Ogwen ei eni.

Mae'r gyfrol *Hogyn o Sling*, yn dweud ychydig o hanes John Ogwen yr actor enwog. Mae'n cyfeirio at ei berfformiadau cyntaf yn y capel ac mewn eisteddfodau a pha mor hapus roedd e'n perfformio o flaen cynulleidfa. Mae'n disgrifio ei ddyddiau cynnar yn yr ysgol ac wedyn yn y coleg ac am ddiddordebau, fel pêl-droed. Yn wir, roedd gan John Ogwen allu arbennig a gallai fod wedi ymuno â thîm pêl-droed Nottingham Forest.

Ond, yn ogystal, mae'r gyfrol yn disgrifio'i yrfa fel actor ar y llwyfan ac ar y teledu ac mae'n sôn yn annwyl iawn am ei wraig, yr actores Maureen Rhys, ac am ei deulu.

Yn y darnau nesaf, mae John Ogwen yn disgrifio rhai o'i brofiadau'n actio mewn gwahanol berfformiadau.

gallai fod wedi – *he could have*
cyd-fyfyrwyr – *fellow students*

Dyddiau Coleg

Dau o'm cyd-fyfyrwyr oedd Cenwyn Edwards (a fu'n gweithio yn HTV, ond sydd bellach yn un o gomisiynwyr S4C) a'r diweddar John Eurfyl Ambrose (cyn-brifathro Ysgol Brynhyfryd, Rhuthun) y ddau o ardal Llanelli. Yng nghwmni'r ddau, cefais achos i gofio un ddrama yn arbennig. Penderfynodd John Ellis Jones, darlithydd yn Adran Groeg y coleg, ac a oedd yn byw yn Sling, y byddai'n syniad da i ni wneud ei gyfieithiad newydd o 'Antigone'. Mr Jones hefyd oedd yn cynhyrchu a phenderfynodd y byddai'n ddramatig iawn taswn i (yn farw) yn cael fy ngharío ar elor ar hyd neuadd y P.J. ac yna fy mod i'n cael fy ngosod i orwedd ar y llwyfan. Dramatig efallai, ond peryglus pan benderfynodd mai Cenwyn a John Ambrose fyddai'n cario'r elor.

Gorweddwn yn daclus ar yr elor – wel, hen *stretcher* St. John's oedd wedi gweld dyddiau gwell, a dweud y gwir – tra safai'r hogia yn barod i'm cario. Yna, daeth un o'r porthorion o rywle a phenderfynu dweud ei stôr o jôcs anllad wrthym. A digri iawn oedd un neu ddwy. O ganlyniad, daeth ein *cue* yn annisgwyl, ac anghofiodd yr hogiau gau'r strapiau oedd i fod i fy nal i ar yr elor. Peth anarferol, wedi'r cwbl, ydy gweld corff yn gafael yn dynn yn ei elor ei hun.

elor – *bier*
gorweddwn < gorwedd – *I lay*
safai < sefyll – *to stand*
porthorion – *porters*
jôcs anllad – *dirty jokes*
i fod i fy nal i – *supposed to hold me*
gafael yn dynn – *to hold tightly*

Aeth y daith ar hyd y neuadd rhwng y gynulleidfa yn ddigon didramgwydd ond yr oedd grisiau serth i'w dringo i gyrraedd y llwyfan, ac wrth ddringo'r rheiny gwelais i angen y strapiau. Fe lithrodd y corff ar hyd yr elor a tharo'i ben yng ngwasgod bres y cariwr ar y pen isaf gan wneud sŵn rhyfeddol. Bu bron i'r ddau fy ngollwng ac, efallai, o gofio beth ddigwyddodd wedyn, byddai'n well tasen nhw wedi gwneud hynny. Bu'r corff yn siglo chwerthin trwy weddill y perfformaid, nid yn unig oherwydd y digwyddiad yna ond hefyd am fod y 'Negesydd' yn y ddrama wedi troi at y cofweinydd (Maureen fel roedd hi'n digwydd bod) a dweud, o glywed 'prompt', 'Dw i wedi torri hwn'na allan pnawn 'ma!'

Y perfformiad proffesiynol cyntaf

Tybed a ddylai fy enw fod yn y *Guinness Book of Records*? Ai fi ydy'r unig actor erioed a fethodd orffen ei berfformiad proffesiynol cyntaf ar lwyfan oherwydd i'r set fynd ar dân? Er holi a stilio, a darllen llawer o atgofion actorion, chlywais i erioed am neb arall a gafodd yr un profiad.

Newydd ddechrau'r ail act yr oedd Lisabeth Miles a minnau pan sylwais fod tipyn o gynnwrf yn y

yn ddigon didramgwydd – *without a hitch*
serth – *steep*
pres – *brass*
bu bron i'r ddau fy ngollwng – *the two (of them) almost dropped me*
siglo chwerthin – *to shake with laughter*
cofweinydd – *prompter*
stilio – *to question*
atgofion – *memoirs*
cynnwrf – *excitement, agitation*

gynulleidfa. Yr oedd pobl wedi dechrau siarad â'i gilydd, ambell un wedi codi ar ei draed, a rhai wedi cychwyn am y drws. Doedd gen i mo'r syniad lleiaf beth oedd yn bod. Gan fy mod yn wynebu'r gynulleidfa doeddwn i ddim yn gallu gweld y mwg yn codi o'r llenni yn y cefn ond buan iawn wedyn y clywais ei oglau. Llanwyd y neuadd â mwg yn sydyn iawn; roedd rhaid i ni adael y llwyfan ac roedd rhaid i bawb o'r gynulleidfa ymadael. Mewn gwirionedd, doedd 'na fawr o dân. Un o'r llenni duon yn y cefn oedd wedi'i lapio'i hun am un o'r lampau ac wedi bod yn mudlosgi trwy'r act gyntaf mae'n debyg.

Doedd dim posib cario ymlaen y noson honno a safwn yn y coridor cefn wedi fy siomi'n lân. Cododd Ieuan Rhys Williams ychydig ar fy nghalon trwy ddweud 'Penyberth'* eto, myn yffarn i! Sinders Lewis' Daeth John Gwil rownd y cefn a'r cwbl a ddywedodd oedd, 'Licio dy gôt di, boi bach,' a mynd i siarad hefo Conrad Evans...

James Cagney

Ar ôl i'r daith ddod i ben a minnau gartref yn Nghwm-y-glo dyna gnoc ar y drws un bore. Dennis Post hefo teligram yn ei law. Rhwygais i'r amlen ac ar y papur

clywed oglau = clywed arogl – *to smell*
doedd 'na fawr o dân = doedd dim llawer o dân
lapio – *to wrap*
mudlosgi – *to smoulder*
safwn < sefyll – *I stood*
wedi fy siomi'n lân – *utterly disappointed*
rhwygo – *to tear open*

* Gweler tudalennau 80 – 87 am hanes Penyberth.

roedd y geiriau *'Please ring Shepherd's Bush 8000'*. Doedd gennyn ni ddim ffôn, felly croesais i i'r ciosg dros y ffordd a deialu. Rhif y BBC yn Llundain oedd o, a dyma fi'n esbonio i'r ferch a atebodd fy mod wedi cael y teligram, ond gan nad oedd enw arno fo doedd gen i ddim syniad pwy oedd wedi'i anfon. Dywedais mai John Ogwen oedd fy enw. Os felly, meddai hi, mae'n siwr mai'r Adran Gerddoriaeth oedd wedi'i anfon. Roedd hi'n meddwl mai John Ogden, y pianydd byd-enwog, oeddwn i...

Ar ôl hydoedd, a llawer iawn o ddau sylltau, gofynnais iddi fy nhrosglwyddo i'r Adran Ddrama. Doedd y ferch a atebodd yn fan'no ddim yn gwybod pwy a anfonodd y teligram chwaith ond fe gymerodd rif y ciosg a dweud y ceisiai ddod o hyd i'r person oedd yn gyfrifol. Rŵan, ciosg bach prysur iawn oedd ciosg Cwm a bu'n rhaid i mi sefyll fel iâr wrth ddrws y bocs coch tra bu sawl person arall yn ei ddefnyddio.

O'r diwedd yr oedd yn wag a dyma'r gloch yn canu. Dyn o'r enw Philip Dudley oedd wedi anfon y teligram ac ar ôl dweud nad oedd erioed o'r blaen wedi ffonio actor i giosg, gofynnodd a oeddwn wedi darllen drama Emlyn Williams, *The Corn Is Green*. Flynyddoedd yn ôl, meddwn innau. Dywedodd wrtha i am ei darllen hi eto'r

os felly... – *if that (was) the case...*
hydoedd – *ages*
dau sylltau – *two shillings*
trosglwyddo – *to transfer*
yn fan'no = yn y fan honno – *there*
ceisiai < ceisio – *she would try*

noson honno gan edrych yn arbennig ar ran Morgan Evans, ac yna cymryd y trên cyntaf i Lundain drannoeth a rhoi galwad iddo fo o dderbynfa *Television Centre* ar ôl cyrraedd...

Ar ôl codi am bump cyrhaeddais *TV Centre* erbyn hanner dydd a chyfarfod â Philip Dudley, hogyn tua phump ar hugain oed. Y peth cyntaf a ddywedodd cyn dweud 'Helo' ac ysgwyd llaw oedd, '*Well, you look the part. Here's hoping you can act*'.

I fyny â ni i'w stafell. Yno, yn disgwyl yr oedd clamp o ddyn mawr mewn siwt ddrudfawr yr olwg a blodyn yn ei frest. Pennaeth Drama'r BBC – Cedric Messina. Yr oedd o yno oherwydd mai cynhyrchiad 'Play of the Month' oedd hwn. Gofynnwyd i mi ddarllen dwy ran, a gallwn weld fod y ddau wedi'u plesio. Dyma Messina'n gofyn faint o'r gloch roedd y trên am adref. Trên pump, meddwn innau, oherwydd fy mod wedi trefnu i gyfarfod â ffrind y pnawn hwnnw.

Roedd y ddau am i mi aros hefo nhw am y pnawn gan eu bod am drefnu i'r actores Wendy Hiller fy ngweld. Hi oedd yn mynd i chwarae rhan 'Miss Moffat' ac yr oedd yn bwysig iawn ei bod hi'n cael golwg arna i. Roeddwn i'n gyfarwydd â'r enw Wendy Hiller oherwydd fy mod wedi'i gweld sawl gwaith mewn ffilmiau ac roeddwn i'n

clamp o ddyn mawr – *a very large man*
siwt ddrudfawr yr olwg – *an expensive looking suit*
cael golwg arna i – *to have a look at me*

gwybod ei bod hi wedi ennill 'Oscar' am ei pherfformiad yn *Separate Tables*.

Am hanner awr wedi dau yn Euston yr oedd Robin a minnau wedi trefnu i gyfarfod. Doeddwn i ddim yn gwybod sut i gael gafael ynddo i ddweud y byddwn yn hwyr a doeddwn i ddim yn gwybod pa mor hwyr chwaith, gan y byddai'n rhaid i Wendy Hiller deithio i Lundain o Beaconsfield.

Tua chwarter i dri canodd y ffôn yn y swyddfa. Galwad i mi. Robin o Euston. Dywedais wrtho, yn Gymraeg wrth gwrs, beth oedd yn digwydd a threfnu i gyfarfod am chwarter i bump, cyn i mi orfod neidio ar y trên. Ar ôl rhoi'r ffôn yn ôl yn ei grud sylwais fod yr ysgrifenyddes, Philip Dudley a Cedric Messina yn edrych fel lloeau arna i. Doedd yr un ohonyn nhw wedi clywed Cymraeg o'r blaen! '*That proves you're Welsh,*' meddai Messina, a minnau'n meddwl, o gofio fy acen, eu bod eisoes wedi cael digon o brawf o hynny.

Esboniodd Philip sut yr oedd wedi cael fy nghyfeiriad i anfon y teligram. Roedd wedi cyfarfod ag Anton Darby yng nghlwb y BBC y noson cynt a hwnnw'n dweud ei fod newydd fod yn gweithio yng Nghymru. Gofynnodd Philip iddo a oedd wedi digwydd gweithio hefo '*a young Celtic-looking Welsh actor*'. Yr oedd o eisoes wedi cyfweld

cael gafael yn / ar – *to get hold of*
rhoi'r ffôn yn ei grud – *to replace the receiver*
edrych fel llo – *to look dumbfounded (lit. to look like a calf)*
prawf – *proof*

deugain a mwy ond heb gael neb i'w lwyr blesio. Oes, mae 'na lawer o lwc yn y busnes yma – y lwc o fod yn y lle iawn ar yr adeg iawn.

Cyrhaeddodd Wendy Hiller tua hanner awr wedi tri. Dynes dal, osgeiddig, a hynod o fonheddig. Yr oeddwn yn reit nerfus ond gwnaeth i mi deimlo'n gartrefol iawn drwy sgwrsio am tua chwarter awr cyn darllen y ddrama. Roedd yn ymwelydd cyson â Sir Fôn a hi a'i gŵr, y dramodydd Ronald Gow, wedi agor un o Wyliau Drama Môn yn y Theatr Fach, Llangefni.

Ar ôl darllen y ddau ddarn, yr un lle mae Miss Moffat yn cyfarfod â Morgan am y tro cyntaf a'r un lle mae o'n dod yn ôl o'r coleg yn Rhydychen, dyma hi'n dweud, '*That was very good indeed, John.*' Ddywedodd neb fy mod i wedi cael y rhan, ond dywedodd Philip wrtha i am ei ffonio yn ei gartref ar ôl i mi gyrraedd Bangor.

Roeddwn i'n gwybod fy mod yn agos iawn at gael y rhan ac ar ôl dweud yr hanes wrth Robin yn Euston dyma'r ddau ohonom yn penderfynu mynd am beint a ffonio Philip cyn i mi gychwyn hefo trên saith. Tua chwarter-i dyma ffonio a chael gwybod fy mod yn llwyddiannus. Cael hanner sydyn iawn, iawn i ddathlu!…

---

heb gael neb i'w lwyr blesio – *without finding anyone who completely satisfied him*
gosgeiddig – *graceful*
hynod o fonheddig – *extremely courteous*

...Roedd tri diwrnod wedi'u neilltuo yn y stiwdio ar gyfer y ddrama. Pan gyrhaeddais y stafell wisgo ar y bore cyntaf yr oedd parsel yn fy nisgwyl: anrheg gan Wendy Hiller, sef llyfr ac ynddo yr oedd y geiriau, '*To John, and a future your talent richly deserves*'. Mae gen i feddwl y byd o'r llyfr hwnnw. Bu ei dderbyn yn ysbrydoliaeth am y tri diwrnod oedd i ddod.

Fe aeth pethau'n rhyfeddol o dda. Roedd Maggie John, Glyn Houston, Ronald Fraser, Adrienne Posta a Dyfed Thomas ifanc iawn yn y cast. Yr olygfa olaf i'w recordio oedd yr olygfa 'dychwelyd o Rydychen'. Roedd pawb o'r cast yn sefyll o gwmpas y setiau yn y stiwdio yn gwylio'r recordiad a phan ddaeth i ben roedd pawb fel un gŵr yn cymeradwyo. Minnau ar ben fy nigon, ond dyma Wendy Hiller yn dweud, '*I think we could do it better than that.*'

Fe fynnodd *take* arall. Ar ôl cael gweld y ddau gynnig gan Philip, a oedd yn gwybod fy mod i ddim eisiau gwneud un arall, yr oedd yn amlwg mai hi oedd yn iawn. Roedd gormod o emosiwn yn y cyntaf; roedd dan reolaeth yn yr ail...

neilltuo – *to allocate*
dod i ben – *to end*
ysbrydoliaeth – *inspiration*
cymeradwyo – *to applaud*
minnau ar ben fy nigon – *I (was) delighted*
mynnu – *to insist*
cynnig – *attempt*
dan reolaeth – *under control*

Cefais fy llun ar ddalen flaen y *Radio Times* ac mewn cyfweliad y tu mewn galwodd Wendy Hiller fi yn '*All-Celtic sensation. There is nothing Anglo-Saxon in his make-up at all.*' Doedd dim rhaid iddi sôn gair amdana i, a fyddai llawer un ddim wedi gwneud.

Dydd Gŵyl Dewi (pa ddiwrnod arall?) 1968 ymddangosodd y ddrama. Bu'r Wasg Seisnig yn garedig iawn am fy mherfformiad. Yn wir, fe'm disgrifiwyd gan George Melly, beirniad teledu'r *Observer* ar y pryd, fel '*the new James Cagney*'! Mae'n amlwg nad oedd George wedi fy ngweld i'n dawnsio!...

Flynyddoedd wedyn, yng Nghaerdydd, dywedodd Emlyn Williams ei hun wrtha i iddo fwynhau'r perfformiad.

CYFRES Y CEWRI

Lyn Ebenezer

Mae Lyn Ebenezer yn enwog fel cyflwynydd ar y teledu, fel newyddiadurwr ac fel eisteddfodwr. Mae e'n gymeriad hoffus sy'n hoffi tynnu coes ac sy'n hoff iawn o chwerthin.

Mae e'n dod o Bontrhydfendigaid, yn Sir Aberteifi, yn wreiddiol ac mae'r gyfrol *Cae Marged* yn llawn atgofion personol am ei fywyd. Yn y darnau nesaf, mae e'n cofio'i ddyddiau cynnar, ac yn enwedig pa mor bwysig oedd adloniant iddo yn ystod y dyddiau hynny.

Y Dyddiau Cynnar

Mae adloniant, o bob math, wedi bod yn rhan bwysig o'm bywyd i o'r dyddiau cynnar. Bu'r eisteddfod a chanu pop, y ddrama a'r ffilmiau, pêl-droed a'r Clwb Ffermwyr Ifainc a'r Aelwyd yn fwy na rhyw ddihangfeydd oddi wrth fywyd bob dydd. Roeddent i gyd yn rhan o'r bywyd hwnnw, ac mae rhai ohonynt yn dal i fod felly.

Dw i'n siwr bod caneuon poblogaidd y dydd wedi dod yn rhan o'm bywyd cyn unrhyw ddiddordeb arall. Byddai llais y radio'n llenwi'r gegin gefn yn rheolaidd gyda phob

newyddiadurwr – *journalist*
adloniant – *entertainment*
Aelwyd = Aelwyd yr Urdd
dihangfeydd – *escapes*

math o arlwy. Newyddion y dydd a bocsio oedd diddordeb Nhad. Ond byddai cerddoriaeth boblogaidd hefyd yn cael lle. Roedd hyd yn oed Nhad yn hoff o Gracie Fields, er nad oedd ganddo fawr i'w ddweud wrth unrhyw un arall.

Ond yn y parlwr, yn hytrach na'r gegin, y daeth canu pop yn fyw i mi am y tro cyntaf. Fe briododd Dan, fy mrawd, â Gwen Joel, un o Gymry Llundain. Roedd ganddi hi gysylltiadau lleol a daeth i'r ardal i weithio ym Myddin y Tir. Ac fe gychwynnodd y ddau eu bywyd priodasol yn ein tŷ ni, gan fyw yn y parlwr.

Fe brynodd Dan gramaffôn, un o ryfeddodau mawr fy mywyd cynnar. Roedd gan y gramaffôn gas du, ac ar y cas roedd llun ci bach yn edrych i mewn i gorn mawr. Roedd gan y gramaffôn nodwyddau dur, a byddai'n rhaid eu newid nhw'n achlysurol. A'r tu mewn roedd allwedd fawr. Pan ddechreuai Vera Lynn swnio fel Tennessee Ernie Ford, roedd hi'n bryd gosod yr allwedd mewn twll yn ochr y gramaffôn a'i throi, fel weindio wats. Yna, pan oedd y spring yn dynn, câi Vera Lynn ei llais yn ôl, a byddai'r adar gleision yn hedfan dros glogwyni gwynion Dover gyda'r cyflymdra iawn unwaith eto.

arlwy – *provision*
cysylltiadau – *connections*
Byddin y Tir – *the Land Army*
rhyfeddodau – *wonders*
nodwyddau – *needles*
dur – *steel*
yn achlysurol – *occasionally*
câi = byddai... yn cael – *would get*
clogwyni – *cliffs*

Y gân bop gyntaf erioed i mi ei chlywed ar gramaffôn Dan oedd *Music, Music, Music*, gan Teresa Brewer, cân oedd yn agor gyda'r geiriau gwefreiddiol:

Put another nickel in,
In that nickel-odeon,
All I want is loving you
And music, music, music...

Cân arall a gâi ei chwarae'n aml ar y gramaffôn oedd un gan Bing Crosby, '*The Little Red Caboose behind the Train*'. Ar ddechrau'r record byddai Bing yn esbonio mai ystyr *Caboose* oedd y cerbyd olaf y tu ôl i drên nwyddau, lle byddai'r gard yn treulio'i amser. Yn y gân roedd Bing yn cwympo mewn cariad wrth iddo fe weithio fel gard ar y trên, ac yn treulio'i fis mêl gyda'i wraig yn y *little red caboose behind the train*.

Wrth edrych yn ôl, rwy'n siwr mai dyma'r gân a wnaeth i mi gwympo mewn cariad fy hun – nid â merch ond â chanu *Country and Western* – cariad sydd yr un mor driw ag erioed.

Ein cartref ni oedd y cyntaf yn y pentref i gael set deledu. Roedd yn swatio yng nghornel y stafell ffrynt, a byddai ffrindiau'n dod heibio'n aml i syllu ar y rhyfeddod.

gwefreiddiol – *thrilling*
nwyddau – *goods*
driw – *faithful*
swatio – *to nestle*
syllu ar – *to stare at*
rhyfeddod – *wonder*

Roedd gan y teulu fwy o ffrindiau nag a feddyliodd neb erioed adeg rowndiau terfynol Cwpan y Byd yn Sweden; pawb ohonom yn gwylio Pele'n sgorio dwy gôl wrth i Brazil guro'r tîm cartref o bum gôl i ddwy. Roedden ni'n gallu anghofio'r ffaith fod gwylio pob rhaglen fel ceisio gweld drwy gawod drom o eira.

Adeg gêm rygbi ryngwladol byddai'r stafell yn orlawn, gyda rhai o'm hathrawon o Dregaron ymhlith y gwylwyr. Ond i mi, y pethau gorau oedd sioeau sêr fel Perry Como a Johnny Mathis.

Erbyn dyddiau ysgol uwchradd, roeddwn i wrth fy modd gyda'r canu pop. Byddwn yn gwrando'n rheolaidd ar Frankie Laine a Guy Mitchell ar *Radio Luxembourg*, ac fe brynodd Mam radio i mi ar fy mhen-blwydd, radio o faint bag llaw ac roeddwn i'n gallu ei chario gyda mi i'r ysgol. Bu'r hen Ferguson honno gen i am flynyddoedd, hyd yn oed ar ôl i mi briodi.

Adeg dyddiau ysgol y digwyddodd y chwyldro mawr yn hanes canu pop. Paratôdd Bill Haley'r ffordd ganol haf 1955 gyda *Rock Around The Clock*. Ceisiais i ei efelychu drwy ffurfio cwrlyn bach – *kiss-curl* – ar fy nhalcen, ond

---

fwy o ffrindiau nag a feddyliodd neb erioed – *more friends than any one ever thought*

trom = *fem.* trwm – *heavy*
gorlawn – *overflowing*
chwyldro – *revolution*
efelychu – *to imitate*

methiant llwyr oedd hynny. Roedd fy ngwallt yn teneuo hyd yn oed yn y dyddiau hynny.

Cafodd y ffilm o'r un teitl â'r gân enw drwg; efallai oherwydd i'r gân gael ei defnyddio fel cerddoriaeth agoriadol y ffilm *Blackboard Jungle*. Roedd y ffilm honno'n sôn am drais mewn ysgol uwchradd yn America ac es i i'w gweld yn y Conway, un o sinemâu Aberystwyth. Pan ymddangosodd ffilm Bill Haley, felly, roedd adroddiadau dyddiol ar y radio ac yn y papurau am anhrefn llwyr mewn sinemâu ledled gwledydd Prydain. A phan ddaeth y ffilm i'r Pier yn Aberystwyth, bu'n rhaid gofyn a gofyn am wythnosau cyn cael caniatâd i fynd yno.

Teithiodd llond bws i fyny o Bontrhydfendigaid. Roedd un ohonom, Duff Culvert, myfyriwr yn Ngholeg Ystrad Meurig, sef coleg ar gyfer darpar offeiriad yr Eglwys, wedi gorfod gwisgo'i drowser *drainpipe* o dan ei drowser arferol rhag ofn i'w letywraig, Mary Mills, ei weld. Yna, yn niogelwch y bws, fe'i newidiodd.

Ar ôl cyrraedd y sinema, a oedd yn orlawn, sioc fawr i ni oedd gweld, yn eistedd ychydig y tu blaen i ni, gyn-athrawes wedi ymddeol, yng nghwmni ei chariad, a oedd

methiant llwyr – *a complete failure*
teneuo – *to thin*
trais – *violence*
anhrefn – *chaos*
ledled – *across/the length and breadth of*
darpar offeiriad – *student priests*
lletywraig – *landlady*

yn flaenor. Rwy'n siwr y byddai'r ddau yn falch petai'r llawr wedi agor a'u gollwng i'r môr islaw.

Ie, paratoi'r ffordd yn unig wnaeth Bill Haley. Roedd y Brenin i ddilyn ymhen dwy flynedd. A phan ffrwydrodd *Heartbreak Hotel* o'r set radio fe newidiwyd yr hen drefn yn llwyr. Llais Elvis oedd llais herfeiddiol to newydd o ieuenctid…

Beth oedd ei gyfrinach? Cyfuniad o bethau. Yn gyntaf, dyma fachgen gwyn, tlawd yn canu caneuon pobl dduon dlawd. Yn ail, dyma fachgen a edrychai ac a wisgai'n wahanol. Yn drydydd, dyma fachgen a ganai nid o'i galon ond o'i enaid. Cafodd Elvis, yn ddiamau, ddylanwad anferth ar y ganrif – yn gerddorol ac yn gymdeithasol.

I fachgen ifanc fel fi, roedd ei ddylanwad yn anfesuradwy. Am rai misoedd, fi oedd yr unig ddisgybl yn yr ysgol a oedd yn ei addoli. Roedd pawb arall yn

blaenor – *deacon*
gollwng – *to drop*
islaw – *below*
ffrwydro – *to explode*
yr hen drefn – *the old order*
herfeiddiol – *defiant*
cyfuniad – *combination*
enaid – *soul*
yn ddiamau – *without a doubt*
dylanwad – *influence*
anfesuradwy – *immeasurable*
addoli – *to worship*

dilyn barn sylwebyddion y byd ac yn ei wawdio. Ond buan iawn y daethant i weld rhyfeddod Elvis Aaron Presley.

Ond unwaith eto roeddwn i dan anfantais. Steil gwallt Elvis oedd un o'r pethau a oedd yn ei wneud yn wahanol. Ond er rhwbio galwyni o Silvikrin pur ar fy mhen, stwff a oedd yn gallu tyfu blew ar bêl biliards, yn ôl y broliant, roedd fy ngwallt yn teneuo o wythnos i wythnos.

Ta waeth, medrwn wisgo rhywbeth yn debyg iddo. Dyma dynnu hen siwt ginio o ryw ddrôr ac addasu'r trowser coesau tynn a'r wasgod. Wedyn, gyda thei carrai esgid am fy ngwddf, pâr o sgidiau swêd am fy nhraed a hen raser *cut-throat* Nhad yn fy mhoced dop fe deimlwn fy hun yn dipyn o foi – neu'n wir, yn dipyn o Dedi-Boy...

Yn yr 'Hop' wythnosol yn Neuadd yr Eglwys bob nos Iau, gyda John Mills wrth y piano, byddwn yn chwarae recordiau diweddaraf Elvis. Ac unwaith, mewn cyfarfod o Gymdeithas y Bobl Ifanc yn Festri Rhydfendigaid, gyda'r blaenoriaid a'r Gweinidog yn bresennol, gosodais *Hound Dog* ar y peiriant recordiau, troi'r sain i fyny i'w anterth a gwasgu'r switsh cyn diflannu drwy'r drws.

sylwebyddion – *commentators*
gwawdio – *to scorn*
dan anfantais – *under a disadvantage*
broliant – *advertising blurb*
addasu – *to adapt*
tei carrai esgid – *shoe lace tie*
i'w anterth – *(to) full volume*

Erbyn i mi gyrraedd y lobi roedd pawb a'u dwylo dros eu clustiau, a'r gân yn eco drwy'r festri...

...Pan fu farw Elvis ym mis Awst 1977 teimlwn i mi golli cyfaill a oedd hefyd yn arwr. Ei farwolaeth ef a'm trodd o fod yn ddyn ifanc i fod yn ganol oed...

arwr – *hero*

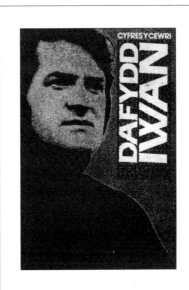

CYFRES Y CEWRI

Dafydd Iwan

Mae Dafydd Iwan yn enwog am nifer o resymau gwahanol –
fel canwr llwyddiannus iawn, fel cyd-berchennog cwmni
recordiau Sain, fel cynghorydd, fel gwleidydd, fel un o
sylfaenwyr Cymdeithas Tai Gwynedd, ac fel un sydd wedi
sefyll yn gryf dros Gymru a dros yr iaith Gymraeg.

Yn y darnau nesaf, mae e'n cofio ymgyrchu gyda
Chymdeithas yr Iaith yn y 1960au. Mae'r ddau baragraff olaf
yn cyfeirio at ymgyrch y Sianel Gymraeg yn y 1970au.

Cymdeithas yr Iaith

Pan ffurfiwyd Cymdeithas yr Iaith Gymraeg yn rhannol
o ganlyniad i ddarlith radio enwog Saunders Lewis
'Tynged yr Iaith', yn Chwefror 1962, roeddwn i'n teimlo
allan ohoni yng Nghaerdydd yn clywed y straeon
cyffrous am y cychwyn mawr yn Aberystwyth. Twm yn
cario merch ar far ei feic er mwyn cael gwŷs, ac anfon y

cyd-berchennog – *joint-owner*
cynghorydd – *councillor*
gwleidydd – *politician*
sylfaenwyr – *founders*
ymgyrchu – *to campaign*
ymgyrch, -oedd – *campaign, s*
yn rhannol o ganlyniad i – *partly as a result of...*
Tynged yr Iaith – *the Fate of the Language*
gwŷs – *summons*

wŷs yn ôl a gofyn am un Gymraeg. Protest gynta'r Gymdeithas ar bont Trefechan. Rhywbeth i'w weld ar y teledu oedd hyn i gyd i mi, ac roeddwn i'n teimlo awydd mawr i fod yno gyda nhw...

Erbyn hyn roedd hi'n amlwg fod yna ysbryd newydd yng Nghymru. Yn 1963 sylweddolais nad oedd gen i ddewis ond ymuno â Chymdeithas yr Iaith Gymraeg. O'r funud honno roedd fy mywyd i, a hynt a helynt y Gymdeithas, wedi'u cysylltu'n agos iawn â'i gilydd.

Am y deng mlynedd nesaf Cymdeithas yr Iaith Gymraeg oedd y peth pwysicaf yn fy mywyd i, ac mi ges i rai o'r profiadau mwyaf gwerthfawr, mwyaf cynhyrfus a chyffrous yn ystod y cyfnod hwn... Roedden ni'n rhan o Fudiad Cenedlaethol oedd yn brwydro dros iaith a diwylliant, a dros barhad cenedl gyfan...

Roedd gan Gymdeithas yr Iaith, ac y mae ganddi heddiw, bwrpas pendant, sef ymgyrchu'n uniongyrchol i newid agwedd pobl tuag at yr iaith Gymraeg ac i greu'r amodau a fydd yn ei gwneud hi'n bosib' i'r iaith fyw i'r dyfodol fel iaith gyflawn...

awydd – *desire*
hynt a helynt – *fortunes*
mudiad – *movement*
parhad – *continuation*
agwedd – *attitude*
amodau – *conditions*
cyflawn – *complete*

Mae'n rhaid i mi, fel un a fu'n aelod ers y dechrau bron, gydnabod fy nyled bersonol i'r Gymdeithas. Roedd bod yn rhan o fudiad o'r fath, ac yn rhan o ymgyrchoedd i sefyll dros ein hawliau ni fel Cymry, yn hogi'r haearn ac yn creu Cymro newydd. Mae fy nyled i'r Gymdeithas, fel corff o genedlaetholwyr brwd ac anhunanol, yn fawr. Cafodd fwy o ddylanwad ar fy mywyd i na dim byd arall.

Roeddwn i'n trefnu bysiau i fynd o Gaerdydd i brotestiadau'r Swyddfa Bost yn Nolgellau, Llanbed, a Machynlleth, a thipyn yn ddiweddarach, i Fangor hefyd. Ym mhob un o'r protestiadau hyn roedd tipyn o wrthdaro rhyngon ni – aelodau'r Gymdeithas – a'r cyhoedd. Yn naturiol, roedden ni'n rhwystro gwaith y Swyddfa Bost ar adeg pan oedd rhai pobl eisiau defnyddio'r swyddfa. Fel arfer roedden ni'n gadael y bobl hyn i mewn, gan wneud llwybr iddyn nhw drwy'r dorf, yn enwedig os oedden nhw'n hen bobl. Ond roedd rhai'n dod yn fwriadol i gerdded trwyddon ni, a throson ni, er mwyn codi gwrthdaro. Mae'n syndod fod cyn lleied o ymladd wedi digwydd. Mae hyn yn brawf o ddisgyblaeth Cymdeithas yr Iaith Gymraeg, oherwydd er

cydnabod fy nyled bersonol – *to acknowledge my personal debt*
hogi'r haearn – *to stimulate / to give encouragement*
brwd – *keen*
anhunanol – *unselfish*
gwrthdaro – *conflict*
rhwystro – *to prevent*
torf – *crowd*
yn fwriadol – *intentionally*
prawf – *proof*
disgyblaeth – *discipline*

gwaetha'r ffaith ein bod ni'n cael tipyn o brocio ac o fygythiadau, ychydig iawn, iawn o aelodau'r Gymdeithas a welais i'n taro yn ôl – hyd yn oed â geiriau, heb sôn am ddyrnau...

...Ar y cyfan, roedd yr ysbryd cryf oedd yn y Gymdeithas, a'r sicrwydd ein bod ni'n ymladd dros achos cywir a phwysig, ac yn rhan o fudiad cenedlaethol, yn ein cynnal ni ac yn ein galluogi ni i fod yn ddisgybledig. Rhaid i ni beidio rhoi'r argraff mai rhyw ferthyron wynepdrist oedden ni. Y cyfnod hwnnw oedd y cyfnod hapusaf yn fy mywyd, oherwydd mae bod yn rhan o ymgyrch hanesyddol fel yna dros eich treftadaeth, dros eich iaith, dros fodolaeth eich cenedl yn brofiad na fedrwch chi fyth mo'i anghofio. Roedden ni'n ffodus o gael bod yn ifanc yr adeg honno, ac yn ffodus o fod yn rhan o'r deffro a ddigwyddodd yn chwe degau'r ganrif.

O dipyn i beth, roedd mwy a mwy ohonon ni'n cael ein hunain mewn Llys Barn am fod heb dreth ar y car, neu am rwystro'r heddlu neu'r cyhoedd drwy eistedd ar y palmant neu ar lawr Swyddfa Bost. Ar ôl cael dirwy, roedden ni'n gwrthod ei thalu, a dyna gychwyn ar y

procio – *to poke*
bygythiadau – *threats*
dyrnau – *fists*
cynnal – *to sustain*
disgybledig – *disciplined*
argraff – *impression*
merthyron wynepdrist – *sad-faced martyrs*
treftadaeth – *heritage*
cenedl – *nation*
o dipyn i beth – *gradually*
dirwy – *fine*

carchariadau cyntaf – Twm a Neil a Gwyneth Wiliam a sawl un arall wedyn. Roedd y cyfarfodydd y tu allan i'r carchardai hefyd yn gyfarfodydd na welwn ni mo'u tebyg nhw am dipyn eto, os byth. Oherwydd dyna, yn ein cyfnod ni beth bynnag, y tro cyntaf i rywun fynd i'r carchar dros yr iaith Gymraeg, yn y frwydr i ennill urddas a statws gyflawn i'n hiaith genedlaethol...

Roedd llawer o feirniadu ar Gymdeithas yr Iaith Gymraeg wrth gwrs, ein bod ni'n griw o fyfyrwyr gwyllt, a bod llawer ohonon ni'n cyfarfod mewn tafarndai. Roedd hynny'n wir, i raddau, ond roedd hi'n arfer gan y Gymdeithas i bwysleisio mor bwysig oedd ymddwyn yn gyfrifol bob amser, hyd yn oed mewn tafarn. Roedd cyfarfod yn y dafarn i ganu ac i yfed yn gyfle i ymlacio ar ôl tyndra protest, a bygythiadau'r cyhoedd a'r heddlu. Roedd o'n rhan bwysig o'n bywyd ni'r adeg honno. Roedd y gyfeillach rhyngon ni'n tyfu ac yn cryfhau yn y nosweithiau anffurfiol hynny mewn tafarndai. Rwy'n pwysleisio hyn oherwydd roedd y chwedegau'n gyfnod o ymryddhau nid yn unig oddi wrth ormes Seisnigrwydd a

carchariad,-au – *imprisonment,-s*
carchardai – *prisons*
na welwn ni mo'u tebyg nhw – *the likes of which we shall not see*
urddas – *dignity*
beirniadu – *to criticise*
ymddwyn yn gyfrifol – *to behave responsibly*
tyndra – *tension*
cyfeillach – *companionship*
ymryddhau – *to free oneself*
gormes – *oppression*

Phrydeindod, ond hefyd i raddau helaeth oddi wrth ormes gwaethaf Anghydffurfiaeth a Phiwritaniaeth...

...Roedd y rali gyntaf pan ddechreuwyd ymgyrch y peintio yn achlysur arbennig iawn. Roedden ni'n cyfarfod Ddydd Calan 1969, gerllaw cartre'r Esgob William Morgan ym Mhenmachno ger Betws-y-coed. Y Doctor Tudur Jones oedd i annerch, ac roedd cannoedd wedi dod ynghanol yr eira, er mor ddiarffordd oedd y lle. Yna, pawb yn gwahanu ac yn peintio arwyddion ar y ffordd adref.

Ar ôl gweithgarwch y diwrnod hwnnw, a Marion a minnau'n aros wrth bob arwydd Saesneg oedd o fewn cyrraedd (a cholli tun o baent gwyrdd ar hyd llawr y car, ac ar ein dillad ninnau), cawson ni ein dirwyo'n ddiweddarach gan Ynadon Betws-y-coed...

Roedd y dirwyon hynny'n hongian uwch ben sawl un ohonon ni am fisoedd, yn wir, am flynyddoedd yn achos rhai. Erbyn diwedd 1969, roeddwn i a Marion wedi ymddangos mewn llys ym Mhenarth (lle roedden ni'n byw erbyn hynny) am beidio â thalu'r dirwyon. Roedd cadeirydd y fainc yn Gymro Cymraeg... ond wnaeth o ddim siarad Cymraeg yn y llys; yn wir, aeth mor bell â

i raddau helaeth – *to a great extent*
Anghydffurfiaeth – *Nonconformity*
annerch – *to address*
diarffordd – *remote*
gwahanu – *to separate*
ynadon – *JPs*

ngalw i'n "David". Roedd ei agwedd o'n sarhaus a dirmygus, ac roedd o fel petai'n mwynhau gosod dedfryd o garchar arna i os na fyddwn i'n talu o fewn y mis.

Aeth y mis hwnnw heibio a doedd dim sôn am yr heddlu. Roeddwn i'n dechrau ofni y byddwn i yn y carchar dros y 'Dolig, ond ddigwyddodd dim byd. Erbyn hyn roedd gan Marion a mi fab – Llion Tegai. Y tro cyntaf i ni fynd â Llion am dro oedd i orsaf yr heddlu ym Mhenarth i dalu dirwyon Marion rhag iddi hi fynd i'r carchar, ac i arwyddo ffurflen mechnïaeth i'm rhyddhau fy hun.

Cyfnod ansicr oedd hwnnw yn disgwyl i'r heddlu alw. Yn y diwedd mi benderfynais i, tua chanol Ionawr, ei bod hi'n amser i'r disgwyl ddod i ben. Mi ffoniais i'r heddlu a'u hatgoffa fod yr amser i mi dalu'r ddirwy wedi mynd heibio ers tro, a 'mod i'n disgwyl iddyn nhw alw! Oherwydd fy mod i, i raddau, wedi dewis amser fy ngharcharu, roeddwn i'n medru gwneud cyfweliadau ar y teledu a'r radio yn union cyn mynd i mewn. Rwy'n cofio Vincent Kane ac Alun Evans yn dod acw i'r fflat ym Mhenarth i wneud cyfweliadau ychydig oriau cyn i'r heddlu gyrraedd...

Ffarwelio â Marion a Llion oedd y weithred anoddaf o'r

sarhaus – *insulting*
dirmygus – *contemptuous*
gosod dedfryd – *to sentence*
mechnïaeth – *bail*
rhyddhau – *to release*
yn union cyn – *just before*
gweithred anoddaf – *the most difficult act*

77

cyfan. Ond unwaith roeddwn i yn y carchar, mae o'n beth rhyfedd i'w ddweud efallai, ond mi fwynheais i'r profiad mewn rhyw ffordd. Roedd yr oriau cyntaf yn ddiflas tu hwnt. Y peth cyntaf y mae carchar yn ei wneud i rywun yw ei ddiraddio. Roeddwn i'n gorfod aros mewn cell fechan, fudr, ddrewllyd heb wybod dim beth oedd i ddigwydd nesaf. Rhaid oedd disgwyl i'r awdurdodau fy nghofrestru. Roedd llanc arall yn rhannu'r gell honno gyda mi, ond doedd ganddo ddim llawer i'w ddweud. Heb dalu dirwy oedd yntau, ond yn wahanol i mi doedd ganddo fo ddim arian i'w thalu hi. Mi gafodd fynd allan o'r gell o 'mlaen i, ac mi fues i yno am rai oriau ar fy mhen fy hun. Agorodd y drws unwaith a rhoddwyd plât i mi ac ychydig o fwyd oer arno, ond methais yn lân â bwyta hwnnw. Ymhen hir a hwyr, daeth swyddog ataf, ac mi es i drwy seremoni'r cofrestru. Mae tynnu dillad yn rhan orfodol o'r seremoni honno, a hynny'n rhan o'r broses o wneud i rywun deimlo'n israddol. Ar ôl aros yn noethlymun o flaen dau neu dri swyddog am beth amser, roedd rhaid cael cawod a gwisgo gwisg y carchar – dillad llwyd, a'r trowsus yn rhy fyr a'r gôt ychydig yn rhy lac. Ond doedd dim iws cwyno, wrth gwrs.

Er mai am gyfnod cymharol fyr y bues i yn y carchar, roedd rhaid i mi rannu'r gell â thri pherson gwahanol. Roedd un ohonyn nhw'n Sais ifanc o Lerpwl, a oedd

diraddio – *to degrade*
ymhen hir a hwyr – *at long last*
gorfodol – *compulsory*
israddol – *inferior*
noethlymun – *naked*
llac – *loose*
cyfnod cymharol fyr – *a comparatively short period of time*

wedi gweld sawl sefyllfa debyg o'r blaen. Yn wir, doedd o ddim yn cofio amser pan nad oedd o mewn rhyw sefydliad Borstal neu garchar o ryw fath...

...Roedd y carchariad byr a dderbyniais i yn sgîl brwydr y sianel yn gofiadwy gan ei fod yn fyr. Ond roedd yn brofiad cofiadwy am resymau eraill hefyd. Wedi penderfynu peidio â thalu dirwy, y disgwyl am y carchariad yw'r boen wedyn. Mynd i'r gwely gan led-ddisgwyl y plismon wrth y drws fore trannoeth. Mynd i'r gwaith heb wybod fyddwn i'n dod adref...

Roedd y plismyn yn hynod o gwrtais ac yn ceisio'u gorau i wneud y broses o arestio, llenwi ffurflenni, gwagio'r pocedi a disgwyl yn y gell – proses sydd wedi ei dyfeisio i wneud i'r carcharor deimlo'n israddol a dibwys – mor anffurfiol â phosib. Ni chefais fy nghadwyno gerfydd fy ngarddwrn chwaith – sy'n orfodol yn ôl y rheolau, – a phan gawson ni baned mewn caffe ar y ffordd, tynnodd y plismyn eu cotiau rhag i'm sefyllfa fod yn amlwg i bawb (go brin fod y crysau glas a'r sgidiau mawr wedi twyllo neb chwaith!). Ond wedi cyrraedd cyrion Lerpwl roedd y ddau druan ar goll yn lân, ac yn y diwedd bu'n rhaid i mi ddangos y ffordd iddyn nhw i Walton. Roedd y ddau, chwarae teg, yn gallu gweld ochr ddoniol y sefyllfa...

yn sgîl – *as a result of*
lled-ddisgwyl – *to half expect*
dibwys – *insignificant*
anffurfiol – *informal*
ni chefais fy nghadwyno gerfydd fy ngarddwrn – *I was not handcuffed*
gorfodol – *cumpulsory*
go brin – *hardly*

CYFRES Y CEWRI 13

ANTURIAF
YMLAEN

R. GWYNN DAVIES

CYFRES Y CEWRI

R. Gwynn Davies

Mae R. Gwynn Davies yn enwog fel sylfaenydd Antur Waunfawr, cynllun sy'n rhoi cyfle i bobl ag afiechyd meddwl weithio yn y gymuned.

Fel rhan o'r cynllun, cafodd rhai o hen adeiladau pentref Bryn Pistyll ger y Waunfawr eu hailadeiladu yn weithdai ac yn gartrefi i'r bobl hyn.

Mae'r gyfrol *Anturiaf Ymlaen* yn disgrifio llawer o brofiadau personol R. Gwynn Davies a'i deulu, ond mae'n sôn yn arbennig am sefydlu Antur Waunfawr ac am ei gwaith.

Gwaith a gorffwys

Yn raddol y datblygodd ein cynlluniau. Yn wir, roedd hi'n amlwg o'r dechrau nad oedd yn bosibl cynllunio rhy bell ymlaen. Roedd y gwaith yn dibynnu ar allu'r unigolion a pha mor gyflym y byddai eu sgiliau'n datblygu. Er mai ailadeiladu bythynnod a siop Bryn

sylfaenydd – *founder*
afiechyd meddwl – *mental illness*
ailadeiladu – *to rebuild*
gweithdai – *workshops*
yn raddol – *gradually*

Pistyll gafodd y sylw mwyaf, dim ond rhan o beth roedden ni'n gobeithio ei wneud oedd hynny.

O'r cychwyn roedden ni'n pwysleisio y byddai gweithgor ar gael yn yr ardal i roi gwasanaeth i bobl a oedd eisiau help gyda mân dasgau. Roedden ni'n awyddus i weithwyr Antur Waunfawr gael eu gweld o gwmpas yr ardal ond roedd yn bwysig hefyd fod dewis o waith ar gael.

Roedden ni'n awyddus i bawb fod mor hapus â phosibl gyda'i waith ond, roedden ni'n sylweddoli hefyd fod rhaid i'n gweithwyr ni, fel ym mhob sefyllfa waith arall, wneud gwaith a oedd, weithiau, yn groes i'r graen. Er enghraifft, mae torri coed tân yn waith undonog ond roedd pobl y Waun angen coed tân, ac felly, weithiau, roedd, ac mae, rhai o'r gweithwyr yn gorfod gwneud y gwaith hwnnw. Rydyn ni'n ceisio gofalu nad oes neb yn wynebu cyfnodau hir o waith felly ac mae'r rhai sy'n gwneud y gwaith yn cael dosbarthu'r coed o gwmpas y Waun. Os ydyn nhw'n cael cildwrn mae'n gwneud rhywfaint o iawn am orfod gwneud gwaith mor undonog.

sylw – *attention*
gweithgor – *working party*
awyddus – *eager, keen*
mân dasgau – *small tasks*
awyddus – *keen, eager*
yn groes i'r graen – *against the grain*
undonog – *monotonous*
dosbarthu – *to deliver, distribute*
cildwrn – *tip*
gwneud rhywfaint o iawn – *to compensate*

Athroniaeth y cwmni o'r cychwyn oedd fod pwrpas i bob gwaith; doedd dim lle i'r arfer traddodiadol o 'ffeindio rhywbeth iddo fo'i wneud i'w gadw fo'n dawel'...

Doedd hi ddim yn hawdd perswadio rhieni i adael i'w plant ddod i weithio i Antur Waunfawr ar y cychwyn. Roedd tacsis y Cyngor Sir yn galw amdanyn nhw'n rheolaidd i'w hebrwng i'r *Training Centre* cynnes, clyd, lle roedden nhw'n cael pob gofal, pryd o fwyd ganol dydd a'u hebrwng adref amser te. Pa reswm cefnu ar y sefyllfa ddiogel honno a gyrru plentyn, a oedd wedi arfer cael gofal, i hen adfeilion oer, yn agored i'r tywydd a heb gyfleusterau bwyd na fawr ddim arall, ac ar ben hynny ar y ddealltwriaeth y byddai'n gorfod gweithio os oedd o eisiau gwneud hynny ai peidio?...

Fodd bynnag, ar ôl i ddau neu dri fod yn gweithio yn yr Antur am ychydig wythnosau roedd hi'n amlwg i bawb fod newid mawr ynddyn nhw nes newid y sefyllfa'n llwyr. Gofynnodd llawer o rieni i ni roi cyfle i'w plant nhw fanteisio yn yr un ffordd...

athroniaeth – *philosophy*
hebrwng i – *to take (someone) to*
clyd – *cosy*
cefnu ar – *to turn (your) back on*
adfeilion – *ruins*
fawr ddim arall – *not much else*
ar ben hynny – *on top of that*
dealltwriaeth – *understanding*
ai peidio – *or not*
manteisio – *to benefit*

Roedd y gwaith o ailadeiladu Bryn Pistyll yn ddelfrydol ar gyfer rhoi cyfle i bobl heb brofiad ddysgu i ddefnyddio offer gwaith a defnyddio'u hegni yn greadigol. Ar y dechrau, roedd llawer o waith clirio a thynnu rhannau o'r hen waliau i lawr a doedd diffyg profiad ddim yn bwysig ond, yn ddiweddarach, pan ddechreuwyd ar yr adeiladu o ddifrif, roedd y profiad roedden nhw wedi ei gael cyn hynny yn help mawr...

Yn gyfochrog â'r gwaith adeiladu roedd gwaith yr Antur yn y gymuned hefyd yn datblygu. Roedden ni wedi addo i'r pentrefwyr y byddai gennyn ni weithgor at wasanaeth yr ardal a phan ofynnwyd i ni dorri gwair rhyw lawnt arbennig prynwyd peiriant at y pwrpas a dechreuwyd ar y gwaith. Yn fuan iawn aeth y gair ar led ein bod ni'n gwneud gwaith da ar y gerddi, ac fe gynyddodd y busnes.

Ar y dechrau, roedd lle cryf i gredu mai caredigrwydd pobl Waunfawr oedd yn gyfrifol am roi gwaith 'i'r petha bach', ond yn fuan iawn sylweddolwyd mai fel busnes roedden ni'n gweithredu. Roedden ni'n codi pris teg am ein gwaith ac roedd y Cyfarwyddwyr yn benderfynol y bydden ni'n rhoi gwasanaeth teilwng. Rydw i'n cofio'n

delfrydol – *ideal*
offer – *tools*
egni – *energy*
diffyg profiad – *lack of experience*
yn gyfochrog â – *parallel with*
aeth y gair ar led – *the word spread*
y petha bach – *the poor things*
cynyddu – *to increase*
gweithredu – *to operate*
yn benderfynol – *determined*

dda fel y cefais fy nghalonogi o glywed cwyn gan wraig arbennig fod y gwaith roedden ni wedi ei wneud ar ei gardd yn flêr. Teimlais, am y tro cyntaf efallai, ein bod ni'n cael ein hystyried yn fusnes 'go iawn'...

Erbyn hyn roedden ni'n gofalu'n rheolaidd am tua deugain gardd yn y pentref. Prynwyd mwy o offer a chwyddodd ac ehangodd y busnes yn ogystal â chylch ein gweithrediadau. Roedden ni'n gwneud gwaith cynnal a chadw ar erddi a thiroedd cwmnïau a chyrff cyhoeddus ymhell ac agos. Cawson ni gytundebau plannu coed, gosod llwybrau, trin mynwentydd ac yn y blaen, ac mae'r galw am ein gwasanaeth bellach mor drwm fel ein bod ni'n medru gwrthod a derbyn cytundebau fel rydyn ni eisiau.

Sefydlwyd gardd farchnad gerllaw Bryn Pistyll ac mae yno nifer o dai gwydr mawr. Yn ystod yr haf mae'r lle'n ddeniadol iawn ac mae'r planhigion sy'n cael eu cynhyrchu gennyn ni'n gwerthu'n dda. Yn ddiweddar, ehangwyd yr ochr hon i'r busnes a dechreuwyd cynhyrchu dodrefn gardd o bob math mewn concrid a phren. Mae'r offer a'r profiad gennyn ni i gynhyrchu ar

cefais fy nghalonogi – *I was heartened*
chwyddo – *to expand, to increase (lit. to swell)*
ehangu – *to broaden, expand*
cylch ein gweithrediadau – *the extent of our activities*
cynnal a chadw – *maintenance*
cytundebau – *contracts*
trin mynwentydd – *the upkeep of cemetries*
gardd farchnad – *market garden*

raddfa eang; yn wir, talwyd £1,500 i lunio a dosbarthu catalog yn rhestru beth sydd gennyn ni ar werth.

Ailagorwyd hen siop Bryn Pistyll i werthu llawer o wahanol bethau sy'n cael eu cynhyrchu gan y gweithlu ac mae caffi bychan yn y siop. Cafodd y jams, chutneys a'r marmalêd gymaint o sylw fel ein bod ni bellach yn cyfanwerthu ein cynnyrch ac mae pobl o bell yn dod i'r siop i brynu ein nwyddau. Yn aml iawn, rydyn ni'n cael y pleser o groesawu partïon o gymdeithasau fel Merched y Wawr, *Women's Institutes* ac yn y blaen, ac os ydyn ni'n cael digon o rybudd rydyn ni'n gwneud yn siwr fod digon o ddanteithion yn barod ar gyfer parti sylweddol. Rydyn ni'n glanhau Capel Waunfawr ac rydyn ni'n gallu rhoi help yn yr Ysgol Feithrin.

Rydyn ni'n ceisio cryfhau bywyd cymdeithasol pentref Waunfawr ac rydyn ni'n trefnu Barbaciw blynyddol. Mae diwrnod 'Ras Antur Waunfawr' yn un hynod o boblogaidd, gydag ugeiniau yn cymryd rhan. Mae'n gyfle hefyd i gymdeithasau elusennol osod byrddau gwerthu a manteisio ar y tyrfaoedd sy'n dod i weld y ras. Weithiau

ar raddfa eang – *on a large scale*
cyfanwerthu – *to retail*
nwyddau – *goods*
danteithion – *delicacies*
sylweddol – *substantial*
hynod o boblogaidd – *very popular*
cymdeithasau elusennol – *charitable organisations*
manteisio ar – *to take advantage of*
tyrfaoedd – *crowds*

rydyn ni'n trefnu nosweithiau agored: noson grempog, noson fins peis ac yn y blaen...

...Hyd yma, mae'r cynllun wedi bod yn llwyddiant mawr a thra bydd gan yr ardal ffydd yn yr Antur mae'n ymddangos fod y dyfodol yn sicr.

Ein gobaith yw ein bod ni wedi llwyddo i osod sylfaen a dangos bod pobl ag afiechyd meddwl yn gallu datblygu tu hwnt i unrhyw ddisgwyliadau wrth iddyn nhw gael eu trin fel pobl, ac wrth iddyn nhw gael y cyfle i wasanaethu'r gymuned. Yn bwysicach fyth, rydyn ni'n gobeithio ein bod ni wedi rhoi cyfle i bobl yr ardal dderbyn yr unigolion hyn fel pobl ac nid fel pethau.

hyd yma – *until now*
ffydd – *faith*
gosod sylfaen – *to lay a foundation*
tu hwnt i – *beyond*
disgwyliadau – *expectations*

os hoffech
wybod...
CYFRES Y CEWRI 8
Dic Jones

CYFRES Y CEWRI

Dic Jones

Mae'r rhan fwyaf o bobl yn nabod Dic Jones fel bardd. Mae e wedi cyhoeddi nifer o gyfrolau o farddoniaeth, e.e. *Agor Grwn, Caneuon Cynhaeaf, Storom Awst,* ac mae e wedi ennill cadeiriau Eisteddfod Genedlaethol yr Urdd a chadair yr Eisteddfod Genedlaethol. Mae e'n fardd traddodiadol.

Cafodd Dic Jones ei eni a'i fagu yn Sir Aberteifi ac yno mae e'n ffermio o hyd. Yn y darn nesaf, mae e'n cofio am rai o arferion yr ardal pan oedd e'n ifanc – adeg y Nadolig a'r Calan. Yn yr ail ddarn, rydyn ni'n darllen am hanes Dic Jones yn cymryd rhan yn rhai o weithgareddau diwylliannol yr ardal ac yn dechrau barddoni.

Ar arferion Cymru gynt

Yn blant, nid oedd gennym lawer i'w ddweud wrth y Nadolig. Roeddem yn hongian ein hosan ar bost y gwely a chael rhyw fân ddanteithion: oren neu afal a bar o siocled efallai. Byddai Cymanfa Bwnc, neu eisteddfod efallai, yn cael ei chynnal, ac roedd cinio aderyn dŵr – gŵydd neu hwyaden – a phlwm pwdin wrth gwrs.

---

gweithgareddau diwylliannol – *cultural activities*
rhyw fân ddanteithion – *some small delicacies*
Cymanfa Bwnc – cyfarfod arbennig yn y capel

Dydd Calan oedd ein diwrnod mawr ni. Cinio mawr eto, steddfota ac yn y blaen, a chrynhoi calennig ('crynhoi' yn sir Aberteifi – eu 'casglu' roedd pawb arall yn ei wneud!)...

Roeddem yn cychwyn mor gynnar â phosibl ar fore'r Calan, a phawb â'i goden fach a'r llinyn arni am ei wddf i gadw'r ceiniogau, a rhai o'r rheini yn geiniogau newydd, achos roedd llawer yn arfer mynd i'r banc yr wythos cynt i gael stoc o geiniogau ac arnynt ddyddiad y flwyddyn newydd. Roedd llawer ohonom wedi ymweld â'r beirdd lleol cyn cychwyn, er mwyn cael rhyw bwt o gân neu bennill newydd i'w lafarganu wrth y drysau i ddymuno'n dda i'r teuluoedd. Megis:

> Os ych chi'n rhoi o dewch yn glou
> Mae 'nhraed i bron â rhewi,
> Blwyddyn newydd, newydd,
>   blwyddyn newydd dda i chwi.

Ac roeddem yn gorffen drwy floeddio gyda'n gilydd:

> Calennig yn gyfan ar fore dydd Calan,
> Unwaith, dwywaith, tair.

Roedd yn rhaid gorffen crynhoi am hanner dydd union, ac erbyn hynny byddem wedi bod ym mhob drws ym

---

crynhoi – *to gather*
coden – *bag*
llinyn – *string*
pwt o gân neu bennill – *a little song or verse*
llafarganu – *to chant*
yn glou = yn gyflym
bloeddio – *to shout*

Mlaen-porth, a Blaenannerch ac efallai i rai o dai uchaf Aber-porth, yn ogystal â'r ffermydd rhyngddynt...

Yn nechrau ein harddegau, roeddem yn graddio o 'ganu'r dydd' i 'ganu'r nos'. Hynny yw, i gychwyn crynhoi calennig am hanner nos y nos cyn Calan. Ac yr oedd hynny'n talu'n well. Sylltau, deusylltau, a hanner coronau hefyd yn rhai o'r llefydd gorau. Roedd hi'n bwysig bod y cyntaf i ganu wedi deuddeg o'r gloch (achos canu roeddem yn ei wneud yn y nos bob amser – doedd adrodd pennill ddim yn ddigon da). Byddai hanner coron i'r cyntaf mewn llefydd fel Maes-y-deri a Llwyn-coed, ac roedden nhw'n dweud fod sofren gyfan i'r cyntaf ym mhlas Neuadd Tre-fawr. Byddai graddfa'r haelioni'n mynd i lawr wrth i'r cloc dician, ond er i ni roi cynnig unwaith neu ddwy ar fynd draw i'r Neuadd tua hanner awr wedi un ar ddeg, a chuddio yn y llwyni nes clywed y cloc mawr yn taro canol nos, byddai gan rai o fechgyn Pont-hirwen y wybodaeth leol a byddent yn gwybod o dan ba un o'r ugeiniau o ffenestri i ganu er mwyn deffro'r Ladi, a byddem yn rhy hwyr...

Byddai pob perchen tŷ yn ei wely ar yr awr honno, a byddai'n waith caled ceisio deffro ambell un. Byddai

graddio – *to graduate*
sylltau – *shillings*
deusylltau – *two shillings*
hanner coronau – *half crowns*
graddfa'r haelioni – *the degree of generosity*
rhoi cynnig ar – *to attempt*
i'r dim – *exactly*
perchen tŷ – *householder*

grŵp o rhwng dau a phedwar (gorau i gyd po mwyaf y nifer ar gyfer deffro'r trwm eu clyw, ond gorau i gyd po leiaf ar gyfer rhannu'r ysbail) o dan y ffenest yn dechrau rhuo i'r tywyllwch ar dôn 'Mor agos ambell waith':

> Mae'r flwyddyn wedi mynd,
> Ni ddaw hi byth yn ôl,
> Mae wedi mynd â llawer ffrind
> A'm gadael i ar ôl.

Erbyn i ni weiddi 'Blwyddyn Newydd Dda', byddai un o ffenestri'r llofft fel arfer yn agor, a rhywun yn ei bans a'i grys a'i ben allan drwyddi yn holi pwy oedd yno, a thaflu ei offrwm i lawr i fflagiau cerrig y cwrt, gan ddymuno blwyddyn newydd dda i ninnau. A byddem yn mynd ar ein ffordd yn llawen i'r lle nesaf ar hyd y lonydd a thrwy'r caeau tywyll, ac yn aml yn wlyb at y croen.

Dyddiau Ieuenctid

Roedd *sosials* yn cael eu cynnal yn y Clwb bryd hynny, a byddai'r rhan fwyaf o bobl yn cymryd rhan yn yr hwyl... Unwaith, ysgrifennais bennill neu ddau, digon prentisaidd mae'n siwr, i gyfrannu at y noson. Er mawr syndod i mi, cafodd y gwaith dderbyniad da – mae pawb

gorau i gyd po mwyaf y nifer – *the more the merrier*
y trwm eu clyw – *the hard of hearing*
gorau i gyd po leiaf – *the fewer the better*
ysbail – *spoils*
rhuo – *to roar*
offrwm – *offering*
er mawr syndod i mi – *to my great surprise*
cafodd y gwaith dderbyniad da – *the work was well received*

yn cymeradwyo yn ystod nosweithiau fel hyn – nid oherwydd gwerth y peth ond er mwyn ychwanegu at yr hwyl. Felly fe wnes yr un peth rywbryd eto, ac ymhlith rhyw gylch bychan o bobl, dechreuais i gael fy nghyfrif yn 'dipyn o fardd'...

Roedd y Golofn Gymraeg yn ein papur lleol ni, y *Cardigan and Tivy Side Advertiser*, yr adeg honno yng ngofal yr englynwr gwych, y Parch. Roger Jones. Yn ei golofn wythnosol byddai cerddi gan Alun y Cilie, Isfoel, T. Llew Jones a beirdd lleol eraill, ac, weithiau, byddai rhyw benillion bach pedair llinell, gyda phob llinell yn odli... A phenderfynais i fy mod i hefyd yn gallu gwneud penillion tebyg. ...Clywais, yn ddiweddarach, mai englynion oedd yr enw ar y penillion bach rhyfedd hyn, ac fe ysgrifennais i rai – ugeiniau ohonyn nhw. Cymerais i un o'r rhai gorau, yn fy marn i, i'r Urdd rhyw noson a'i ddangos i Tegryn Davies. A chwarae teg iddo, wnaeth e ddim chwerthin am fy mhen, er iddo wenu ac awgrymu y basai'n well englyn, efallai, tasai cynghanedd ynddo...

Cefais i dipyn o gyfarwyddyd gan Mr Davies, a dechreuais ysgrifennu barddoniaeth ar fy mhen fy hun. Roedd rhai ohonyn nhw'n gywir hefyd. Erbyn hyn roedd y teulu wedi sylwi fy mod i'n dechrau 'chware â

cymeradwyo – *to applaud*
yng ngofal – *in the care of*
englynwr = rhywun sy'n ysgrifennu englynion
colofn – *column*
odli – *to rhyme*
ugeiniau – *scores*
cyfarwyddyd – *direction, instruction*

phenillion a phethe'. A heb yn wybod i mi roedd fy nhad wedi cwrdd ag Alun Cilie ac wedi sôn wrtho fe, gyda pheth balchder meddai Alun wrthyf i yn ddiweddarach, fod 'yr ail grwt yn barddoni ychydig.'

'Bachgen! Odi e'? oedd ymateb hwnnw. 'Halwch e lan i ni gael gweld be' sy' gydag e', a dechreuais fynd i Gilie ar nosweithiau Sul, a llond llyfr o linellau a chwpledi ac 'englynion' gyda mi. Byddai e'n fy nghywiro ac yn gosod ambell dasg i mi, neu fydden ni'n gwneud dim ond treulio'r noson gyfan yn gwneud dim ond sgwrsio yn 'Siberia', fel roedd e'n galw'r ystafell ffrynt.

O dipyn i beth, dechreuais gystadlu mewn Ymryson y Beirdd* lleol, ac yno byddwn i'n cwrdd ag eraill tua'r un oed â mi. Byddem yn dysgu cynganeddu yn sŵn ein gilydd...

Yr oeddem i gyd, wrth gwrs, yn aelodau o'r Aelwyd. Roedd pawb o gownt yn yr ardaloedd yn aelodau – cantorion neu beidio. Rhestr testunau Eisteddfod yr

heb yn wybod i mi – *unbeknown to me*
gyda pheth balchder – *with some pride*
crwt = bachgen, mab
halwch e lan = anfonwch o i fyny
cwpled,-i – *couplet,-s*
cynganeddu = ysgrifennu cynghanedd
yr Aelwyd = Aelwyd yr Urdd
pawb o gownt – *everyone of note*
rhestr testunau = rhestr o destunau ar gyfer Eisteddfod

* Ymryson y Beirdd – cystadleuaeth ar gyfer beirdd

Urdd am y flwyddyn fyddai maes llafur yr Aelwyd yn Aber-porth. Roedd ein hadloniant yn gymysg â'n diwylliant.

Tua dechrau Medi byddai sôn yn mynd trwy'r ardal fod yr Aelwyd yn cwrdd ar nos Wener yn y caban pren y tu cefn i'r neuadd yn Aber-porth. Doedd dim hysbysiad swyddogol yn y papur, dim ond rhyw sôn cyffredinol o ben i ben, a dyna gychwyn gaeaf arall o sol-ffeio, ymarfer, steddfota, cyngherdda, a chael hwyl...

Fyddai neb ohonom yn mynd i steddfod heb gymryd rhan mewn rhyw ffordd – doedd neb yn mynd yno i wrando'n unig ac anaml iawn y byddem yn dod adref heb gwrdd â grŵp oedd yn brin o lais neu ddau mewn parti unsain, efallai, neu denor neu fâs mewn wythawd neu bedwarawd. Yna, byddem yn ymarfer ychydig ar y darn mewn rhyw gornel cymharol dawel neu sedd gefn rhyw gar, ac i'r gad â ni yn llawn hyder.

Chwerthin i fyny ein llawes wedyn, weithiau, wrth glywed rhyw feirniad gwybodus yn mynd ymlaen am

maes llafur – *syllabus*
hysbysiad swyddogol – *official notice*
o ben i ben – *by word of mouth*
sol-ffeio = canu Sol-ffa
cyngherdda – *to take part in concerts*
yn brin o – *short of*
unsain – *unison*
wythawd – *octet*
pedwarawd – *quartet*
i'r gad – *into battle*

'unoliaeth lleisiau' ac 'ôl disgyblaeth' ac yn y blaen. Yna, byddem yn mynd yn ôl i'r un cornel i rannu'r ysbail. Ac yn aml iawn, byddem yn wylofain a rhincian dannedd o glywed y beirniad arall, nad oedd yn deall dim, yn 'diolch i ni am gystadlu' ond 'gwyliwch ar waelod tudalen pedwar' a rhyw lol felly. 'Doedd dim byd i'w wneud wedyn ond ceisio cysuro ein gilydd ar y ffordd adref – a chwilio am raglen y steddfod nesaf.

unoliaeth lleisiau – *unity of voices*
disgyblaeth – *discipline*
wylofain a rhincian dannedd – *to weep and gnash (our) teeth*
cysuro – *to comfort*

ODDEU TU'R TAN

CYFRES Y CEWRI 12
CYFRES Y CEWRI 12
CYFRES Y CEWRI 12

O. M. ROBERTS

CYFRES Y CEWRI

O.M. Roberts

Ym 1936, roedd protest enwog ar dir Penyberth, ffermdy yn ardal Pwllheli – protest yn erbyn sefydlu ysgol fomio yno. I ddechrau, y bwriad oedd sefydlu'r ysgol fomio yn Lloegr, ond roedd yr awdurdodau yn Lloegr wedi protestio ac roedd y Llywodraeth wedi gwrando ac wedi symud yr ysgol fomio i Gymru.

Yn dilyn y penderfyniad hwn, protestiodd llawer o Gymry hefyd, ond wrandawodd y Llywodraeth ddim. Felly, dechreuodd Plaid Genedlaethol Cymru arwain ymgyrch yn erbyn sefydlu'r ysgol fomio yma. Ar 8 Medi 1936 llosgodd tri aelod o'r Blaid – Saunders Lewis, Lewis Valentine a D.J. Williams – y cytiau roedd yr adeiladwyr ar y safle yn eu defnyddio, ac yna aethon nhw at yr heddlu i ddweud beth roedden nhw wedi ei wneud. Ar 9 Ionawr 1937, yn yr Old Bailey yn Llundain, cafodd y tri naw mis o garchar.

Ond nid Saunders Lewis, Lewis Valentine a D.J. Williams oedd yr unig bobl oedd yn gysylltiedig â'r llosgi. Yn y gyfrol *Oddeutu'r Tân*, mae O.M. Roberts yn dweud pwy arall oedd yn rhan o'r brotest ac mai fe oedd y "seithfed dyn" yn y grŵp.

sefydlu – *to establish*
gwrthwynebu – *to oppose*
ymgyrch – *campaign*
cytiau – *huts*
yn gysylltiedig â – *connected with*

Penyberth

Yr oedd cymylau du wedi bod yn crynhoi uwchben Ewrop trwy gydol y tridegau a Churchill ac eraill yn rhybuddio bod rhyfel ar y gorwel. Daeth gair o'r Weinyddiaeth Ryfel yn Llundain fod cynllun i godi erodrom ym Mhen Llŷn. Byddai hynny'n golygu symud cannoedd o ddynion ifainc i'r ardal i ddysgu hedfan awyrennau rhyfel, a'r bwriad oedd ymarfer trwy ollwng bomiau ym Mhorth Neigwl. Condemniodd aelodau Plaid Genedlaethol Cymru yn Sir Gaernarfon y bwriad ar unwaith ac yng Nghynhadledd Gŵyl Ddewi y Blaid y flwyddyn honno cyflwynodd Saunders Lewis anerchiad cryf dan y teitl 'Paham y Gwrthwynebwn yr Ysgol Fomio' *[Why we Oppose the Bombing School]*. Dwy ran oedd i'r araith: cysegredigrwydd Pen Llŷn ac anfadwaith yr hyn y byddai dynion ifainc yn ei ddysgu yno. Y rhan gyntaf a gafodd yr ymateb mwyaf. Gorffennodd ei araith â'r geiriau: 'Gwrthwynebwn yr anfadwaith hwn ym mhob dull a modd a cheisiwn ei rwystro, ac onis rhwystir, yna ei ddifetha'.

crynhoi – *to gather*
ar y gorwel – *on the horizon*
y Weinyddiaeth Ryfel – *the War Office*
anerchiad / araith – *speech*
cysegredigrwydd – *sanctity*
anfadwaith – *villainy, crime*
ymateb – *response*
gwrthwynebwn – *let us oppose*
ym mhob dull a modd – *by every means*
rhwystro – *to prevent*
onis rhwystrir – *unless it is prevented*
difetha – *to destroy*

Dyna'r rhybudd, a dyna'r awgrym cyntaf fod Saunders am fynd â'r frwydr i'r pen. Euthum ato ar ddiwedd y cyfarfod a dweud fy mod yn cytuno â'r cymal olaf ac mae'n debyg i Saunders gofio hynny yn ddiweddarach. Dyn ifanc oeddwn i, yn teimlo fod Lloegr wedi anwybyddu llais Cymru yn llwyr; wedi gwrando ar leisiau rhai a oedd am amddiffyn gwyddau ac elyrch ac ati ond yn amharod i wrando ar gannoedd o filoedd o Gymry yn protestio.

Bu cyfnod o ymgyrchu caled a brwd yn Sir Gaernarfon ac ym Mhen Llŷn ac, am y tro cyntaf yn hanes y Blaid, gwelwyd miloedd trwy Gymru yn mynd i gyfarfodydd, yn gwrando ar anerchiadau ac yn darllen posteri a phamffledi. Ond, er gwaetha'r protestiadau gwrthododd y llywodraeth newid ei chynlluniau...

Aeth yr ymgyrch yn ei blaen a chafwyd slogan newydd i'r pamffledi a'r posteri – 'Lloegr a'i llu yn llygru Llŷn'. Dyna'r slogan a ddenodd gefnogaeth. Awgrymodd rhai pobl mai ymgyrch o blaid heddychiaeth oedd ymgyrch yr Ysgol Fomio; wel, yn naturiol, yr oedd rhai yn

mynd â'r frwydr i'r pen – *to take the battle to its conclusion*
euthum = es i
cymal – *clause*
anwybyddu – *to ignore*
ymgyrchu – *to campaign*
llu – *host (of people)*
llygru – *to pollute*
denu – *to attract*
o blaid – *in favour*
heddychiaeth – *pacificism*

gwrthwynebu paratoadau rhyfel Lloegr ond llygru Llŷn oedd y camwedd yng ngolwg y mwyafrif.

Nid oeddwn yn bresennol yn Ysgol Haf y Blaid yng Nghaerfyrddin y flwyddyn honno; yn lle hynny cefais gyfle i fynd ar wyliau i'r Almaen am dair wythnos. Pan gyrhaeddais yn ôl o'm gwyliau, roedd neges yn fy aros yn fy nghartref, Glanrhyd Isaf, ger Llanwnda, sef gwŷs i fynd i dŷ E.V. Stanley Jones, y twrnai, yng Nghaernarfon. Roedd J.E. yno o'm blaen. Esboniwyd bod Saunders yn trefnu i losgi'r ysgol fomio a gofynnwyd i mi a fyddwn i, gyda J.E. Jones, Robin Richards a Victor Hampson Jones, yn barod i gynorthwyo Saunders, Valentine a D.J. Williams. Esboniwyd hefyd mai'r tri olaf hyn yn unig a fyddai'n mynd at yr heddlu wedyn i gyfaddef cyflawni'r weithred. Y bwriad oedd dangos bod gwŷr cyfrifol o statws yn y gymdeithas yn barod i aberthu dros Gymru...

Gofynnwyd imi droeon a fuaswn wedi cytuno i fod yn un o'r 'tri' taswn i wedi cael y cynnig. Digon hawdd i mi ddweud heddiw, mi wn, ond rwy'n meddwl y buaswn i.

camwedd – *transgression, sin*
yng ngolwg – *in the eyes of...*
gwŷs – *summons*
twrnai – *solicitor*
cyfaddef – *to confess*
cyflawni'r weithred – *to commit the act*
aberthu – *to sacrifice*
droeon – *several times*
taswn i wedi cael y cynnig – *if I had been asked*
mi wn = dw i'n gwybod

Buasai'n well gennyf fod yn un o'r tri yn mynd i swyddfa'r heddlu i ddweud am y tanio na chael fy nal yn ceisio dianc...

Daeth y noson fawr. Roedd J.E. Jones wedi trefnu i Mai Roberts, Deiniolen, ddod i gadw cwmni i Nesta, fy chwaer, a oedd yn rhannu cartref yn Llanwnda hefo mi. Nid oedd Nesta'n gwybod pam roedd hi wedi galw ac nid oedd Mai'n gwybod pam roedd hi wedi cael gorchymyn i fod yno. Tra oedd Mai a Nesta yn eistedd wrth y tân roedd J. E. a minnau yn y llofft yn chwilio am hen ddillad ac yn tynnu'r botymau a'r labeli oddi arnynt rhag ofn i rywun eu hadnabod.

Yn y cyfamser, roedd y ddau gyfaill o'r De, Robin Richards a Vic Hampson Jones, ar eu taith. Dechreuodd J. E. a minnau gerdded ar hyd y ffordd i gyfeiriad Glynllifon a chyn hir daeth Robin a Vic i'n codi. Ymlaen wedyn am Lithfaen nes gweld car Saunders. Roedd Saunders, D. J. a Valentine yn aros yno – y tri wedi dod o Borthaethwy lle buont yn swpera ac yn cael llymaid neu ddau. Bu bron iawn iddynt beidio â chyrraedd oherwydd bod D. J. wedi cael anaf i'w fys hefo llafn rasel ac roedd y meddyg lleol wedi cymryd ei amser i'w drin.

tanio – *to light, ignite*
dianc – *to escape*
gorchymyn – *order, command*
i'n codi – *to give us a lift*
llymaid – *drink*
anaf – *injury*
llafn rasel – *razor blade*

Ond bellach roeddem oll yno. Wedi'r cyfarfyddiad aethom yn y ddau gar wedyn ar hyd y cefnffyrdd am Rydyclafdy a chychwyn cerdded dros y gefnen i'r erodrom, bawb â'u hoffer. Pleiars oedd gennyf i, yn barod i dorri'r gwifrau.

Roeddem yn weddol sicr na fyddai neb yno. Roedd gennym ysbïwraig ifanc – hen gariad dyddiau ysgol i mi yn Llanrug, a oedd yn byw heb fod yn bell o'r gwersyll, ac roedd hi wedi bod yn gwylio'n ofalus i weld beth oedd y drefn yno, ac roedd Saunders a Robin hefyd wedi bod yno'n gweld drostynt eu hunain. Sut bynnag, dywedwyd wrth Robin a minnau, efallai am mai ni oedd y ddau dalaf, am fynd o gwmpas y gwersyll i fod yn hollol sicr nad oedd undyn yno. Ac felly roedd hi: doedd yr un creadur byw o gwmpas. Neb. O ganlyniad, ni fu'n rhaid defnyddio'r rhaff oedd gennym ar gyfer clymu'r gwyliwr nos a mynd ag ef i le diogel. Ymlaen â'r gwaith felly. Aeth D. J. a Vic at bentwr o goed, J. E. a Val at un o'r cytiau a Saunders a minnau at gwt arall. Daliai Robin i fynd o amgylch y maes ar wyliadwriaeth. Roedd gennym dun bach a'm gwaith i oedd tywallt petrol i'r tun tra oedd Saunders yn ei sugno â chwistrell ac yna'n chwistrellu'r

wedi'r cyfarfyddiad – *after the meeting*
cefnffyrdd – *backroads*
cefnen – *ridge*
ysbïwraig – *spy (fem.)*
trefn – *routine*
gwyliwr nos – *night-watchman*
pentwr – *heap*
ar wyliadwriaeth – *on watch*
sugno – *to suck*
chwistrell – *spray*

cwt nesaf atom. Golygfa nad anghofiaf mohoni byth oedd honno: un o ddynion mwyaf Cymru, cantel ei het wedi'i throi i lawr ac yn gwisgo hen gôt law a *plus twos*, wrthi yn chwistrellu petrol i socian y coed. Wedi gwneud hynny galwodd arnom. 'Mi ro'i ugain munud i chi i fynd yn glir cyn tanio,' meddai, ac ar y gair rhedodd y pedwar ohonom ni'r cynorthwywyr ar draws y caeau am y car – menig am ein dwylo a hosanau dros ein hesgidiau rhag gadael olion. Er yr holl ofal, fe gollais i un hosan! Roeddem yn gallu gweld golau car yn y pellter a chawsom fraw, oherwydd y peth olaf a fynnem oedd cael ein dal yn ceisio dianc. Fel yr awgrymais eisoes, byddai'n well gennym gerdded i mewn i swyddfa'r heddlu yng nghwmni'r lleill. O drugaredd, trodd y car i gyfeiriad arall ar y groesffordd ac aethom yn ein blaenau at y ceir. Gyrrodd Robin ni'n ôl trwy Glynnog Fawr i gyfeiriad y Groeslon a gollwng J. E. a minnau wrth yr orsaf. Oddi yno cerddodd y ddau ohonom ar hyd y cledrau i Lanrhyd Isaf...

Heb yn wybod i ni ar y pryd, roedd Saunders, D. J. a Valentine hefyd wedi cael braw cyn cynnau'r tân. Tra oedd y tri yn aros i ni gael mynd yn ddigon pell, clywyd

golygfa nad anghofiaf mohoni byth – *a sight I shall never forget*
cantel – *brim*
chwistrellu – *to spray*
ar y gair = ar unwaith
olion – *prints*
y peth olaf a fynnem – *the last thing we wanted*
o drugaredd – *mercifully*
cledrau – *railway tracks*
heb yn wybod i ni – *unbeknown to us*

sŵn ci yn cyfarth a sylweddolwyd bod y gwyliwr nos ar fin dychwelyd. Felly, bu'n rhaid tanio ymhell cyn i'r ugain munud ddod i ben!

Cyrhaeddodd J. E. a minnau Lanrhyd yn ddiogel. Roedd Nesta'n gwybod lle roeddem wedi bod ond roedd hi'n meddwl mai mynd 'i weld' yr ysgol fomio oedd ein bwriad. 'Mae hi ar dân!' meddai J. E. pan ddaethom i'r tŷ, ond mewn gwirionedd ni chawsom wybod hynny i sicrwydd tan fore trannoeth...

Mae'n anodd deall pam na ddaeth yr heddlu ar ein holau o gwbl. Rhaid eu bod yn sylweddoli nad oedd hi'n bosibl i dri dyn gario'r holl offer tanio a phetrol ar draws cae heb unrhyw gymorth. Buasai wedi bod yn rhesymol iddynt holi'r rhai a fu'n amlwg yn y protestiadau cyn y tân. Ni wnaeth neb, a diolch am hynny!

Paul Flynn

BAGLU 'MLAEN

CYFRES Y CEWRI 18

CYFRES Y CEWRI

Paul Flynn

Daeth Paul Flynn yn Aelod Seneddol Llafur dros Orllewin Casnewydd ym 1987. Ers hynny mae e wedi bod yn brwydro dros ymgyrchoedd sy'n agos at ei galon.

Mae'r gyfrol *Baglu 'Mlaen* yn disgrifio'i gefndir tlawd yn Grangetown, Caerdydd a thristwch a hapusrwydd ei fywyd teuluol. Mae'n disgrifio'r digwyddiadau sy wedi ei yrru mor bell â San Steffan.

Yn y darn nesaf mae e'n cofio rhai o'i brofiadau cynharaf ym myd gwleidyddiaeth. Mae'r ail ddarn yn disgrifio'i ddyddiau cynnar fel Aelod Seneddol yn Nhŷ'r Cyffredin.

Llafur

Doedd yna ddim un foment arbennig pan ddechreuais i gefnogi'r Blaid Lafur. Llafur *oeddem* ni, fel ag yr oeddem ni'n Babyddion neu'n ddinasyddion Caerdydd, yn *Cardiffians*. Roedd yn ein cartref ddiddordeb byw mewn gwleidyddiaeth. Rwyf heddiw'n cofio enwau aelodau cabinet Attlee ym 1945-50 gyda mwy o sicrwydd nag wrth enwi cabinet Tony Blair.

ymgyrch,-oedd – *campaign,*-s
Pabyddion – *Roman Catholics*
dinasyddion – *citizens*

Etholiad 1945 oedd y cyntaf yn oes fy mrawd Mike a minnau. Agorwyd prif ystafell bwyllgor y Blaid Lafur mewn siop wag gyferbyn â'n tŷ ni yn Heol Penarth. Ac ar unwaith, roeddem ni ein dau dros ein pen a'n clustiau yn yr ymgyrch. Croesawyd ein cynnig i helpu a buom wrthi am oriau lawer yn gwthio papurau i mewn i amlenni. Trodd un dasg i fod yn waith cyfrifol iawn. Roedd yr *Echo* wedi adrodd mai un o driciau brwnt yr etholiad oedd slaesio teiars ceir y gwrthwynebwyr.

Cafodd Mike a minnau'r dasg hollbwysig o warchod teiars yr unig gar yn ymgyrch y Blaid Lafur yn Ne Caerdydd a Phenarth. Er bod Mam yn gefnogol, byddai'n ein rhybuddio bod siom yn anochel, gan ddweud na fyddai pobl Caerdydd byth yn pleidleisio i neb a chanddo enw Gwyddelig. *'There's no future in politics for anyone called James Callaghan,'* meddai hi wrthym.

Parhaodd ein diddordeb ar ôl yr etholiad hefyd. Cafodd Mike a minnau ganiatâd i fynychu cyfarfodydd Ward Grangetown mewn hen lofft stabl yn Stryd Franklin. Rwyf yn trysori'r atgof sydd gen i am Jim Callaghan yn

oes = bywyd
cynnig – *to offer*
slaesio – *to slash*
gwrthwynebwyr – *opponents*
anochel – *unavoidable*
Gwyddelig – *Irish*
parhaodd < parhau – *to continue*
mynychu – *to attend*
trysori – *to treasure*
atgof – *memory*

diolch i ni mewn rhyw gyfarfod ac yn proffwydo y byddem ni ryw ddydd yn *'two fine socialists'*. Ymhen amser etholwyd Mike yn aelod o Gyngor Dinas Caerdydd. Ein harwr pennaf oedd y cawr gwleidyddol, Aneurin Bevan, yn Llafur ac yn Gymro, yn ffraeth ac yn angerddol. Roeddwn i'n arfer torri allan bopeth amdano o'r *Sunday Pictorial* a phapurau eraill a'u pastio mewn llyfr... Trwy ei farwolaeth fe gollodd cenhedlaeth gyfan o sosialwyr ifainc arweinydd a oedd yn cynnig cyfle i ni allu gwireddu'n dyheadau dyfnaf.

Byddwn yn breuddwydio am fod yn Aelod Seneddol. Gan nad oedd rôl weithredol i fechgyn pedair ar ddeg oed yn y Blaid Lafur, dyna fi'n ysgrifennu llythyrau di-rif i'r *South Wales Echo* dan y ffugenw Dafydd Llywelyn. Doedd ysgrifennu i'r wasg ddim yn cael ei gyfrif yn weithgaredd parchus ac, felly, doeddwn i ddim wedi dweud gair wrth neb am fy epistolau. Trwy fod yn anhysbys roedd gen i ryddid braf i ddweud beth bynnag roeddwn i eisiau heb godi gwrychyn fy mam na dioddef gwawd fy ffrindiau. Nid pynciau gwleidyddol yn unig

proffwydo – *to prophesy*
arwr – *hero*
cawr – *giant*
yn ffraeth ac yn angerddol – *witty and passionate*
cenhedlaeth – *generation*
gwireddu'n dyheadau dyfnaf – *to realise our deepest desires*
gweithredol – *active*
di-rif – *countless*
ffugenw – *nom de plume, false name*
anhysbys – *anonymous*
gweithgaredd parchus – *respectable activity*
codi gwrychyn – *to anger*
gwawd – *sarcasm, scorn*

roeddwn i'n eu trafod. Roeddwn i'n amddiffyn y genhinen Bedr fel arwyddlun Cymru, a'r angen i Gaerdydd fod yn brifddinas ein gwlad ...

Yr Argraffiadau Cyntaf

Bydd y cof yn chwarae triciau â ni weithiau wrth i ni feddwl yn ôl dros y gorffennol. Yn ffodus, mi ysgrifennais i am f'argraff gyntaf o'r Senedd yn y *Commons House Magazine*. Dyma gyfieithiad ohono.

Roedd fy nhri diwrnod cyntaf fel AS yn dipyn o syndod i mi. Gwelais â'm llygaid fy hun un o draddodiadau cysegredig Palas San Steffan yn cael ei herio'n ddigywilydd. Ac nid am y tro olaf ychwaith!

Roedd hi'n gysur gweld bod ruban wedi'i osod yn ei le i ddal fy nghleddyf. Doeddwn i ddim yn disgwyl gweld technoleg ganoloesol ochr yn ochr â data-bas soffistigedig – desgiau ac arnyn nhw ysgrifbinnau hen ffasiwn a photiau yn llawn o inc mor agos at y cyfrifiaduron yn y Llyfrgell ysblennydd.

Yr argraff arhosol sydd gen i o'r bore cyntaf hwnnw yw adeilad hardd, ond bod y tu mewn fel labrinth.

amddiffyn – *to defend*
arwyddlun – *emblem*
argraffiadau – *impressions*
cysegredig – *sacred*
herio'n ddigywilydd – *to unashamedly challenge*
cysur – *comfort*
cleddyf – *sword*
canoloesol – *medieval*
ysgrifbinnau – *pens*

Teimlwn mai prif swyddogaeth y lle oedd bwydo papurau yn ddiddiwedd i'r Aelodau. Lai nag wythnos ar ôl yr etholiad, roedd y pentwr llythyrau yn ddychryn, heb sôn am y toreth gwybodaeth gan y Rhingyll dan Arfau, y Chwipiaid, y Swyddfa Ffioedd, a hefyd (er mawr syndod!) lond llaw o lythyrau llongyfarch gan Aelodau Seneddol Torïaidd. Nid enghraifft o'r 'uniad democrataidd' roeddem yn clywed cymaint amdano, ond gwahoddiad i 'wneud pâr'. Y mwyaf trawiadol oedd yr un a oedd yn dweud y byddai'r un oedd wedi ei anfon ac AS Gorllewin Casnewydd yn bâr delfrydol, gan fod ei dad-yng-nghyfraith yn dod o Benarth.

A dyna'r Siambr a'i phroblemau arbennig ei hun. Ble'r oedd Aelod newydd i fod i eistedd tybed? Dywedodd plismon wrthyf yn garedig, ond yn bendant, fod gan yr Anrhydeddus Aelodau hawl i eistedd lle roedden nhw eisiau ond fod Michael Foot, fel arfer, yn eistedd lle'r oeddwn i wedi fy ngosod fy hun. Deallais nad oes neb byth yn curo dwylo. Sut a ble mae dysgu'r union dinc wrth wneud nadau i fynegi llawenydd neu ddirmyg?

Ar ôl i ni ymgyfarwyddo â'r lle, y mae gobaith y bydd

swyddogaeth – *role*
pentwr – *mound*
toreth – *abundance*
Rhingyll dan Arfau – *Sergeant at Arms*
y mwyaf trawiadol – *the most striking*
anrhydeddus – *honourable*
union dinc – *exact tone*
nadau – *cries, howls*
dirmyg – *scorn*

criw newydd 1987 yn llunio traddodiadau newydd. Daeth rhagor o fenywod i mewn nag erioed o'r blaen, pedwar Aelod croenddu a'r gwrol David Blunkett. Er nad ef yw'r Aelod dall cyntaf, ef yw'r cyntaf i fod yno yng nghwmni ei gi tywys.

Mae Ted, y ci, yn siwr o dyfu'n un o sêr y Senedd newydd – yn archseren pan ddaw'r teledu i'r Tŷ. Profodd eisoes ei fod yn feirniad craff. Bydd yn gorwedd ar ei hyd rhwng y ddwy fainc flaen ac yn gwybod sut i gael sylw. Pan fydd siaradwr difyr wrthi bydd Ted yn troi ei ben a moeli ei glustiau; wrth glywed rhywun hunanbwysig bydd yn dylyfu gên a chrafu, a phan fydd pethau'n hollol ddiflas bydd yn rowlio ar wastad ei gefn. Yn wir, y mae Ted fel y corws Groegaidd yn nrama ddyddiol y Siambr.

Ted a fu'n euog o dorri un o'r llu gwaharddiadau sy'n perthyn i'r tŷ. Am chwarter wedi pump o'r gloch dydd Iau, 18 Mehefin, aeth Ted, yng nghwmni plismon, allan i ddefnyddio'r lawnt yn y New Palace Yard. Doedd y lle erioed wedi ei fwriadu at y pwrpas hwnnw! Fydd yna newidiadau oherwydd hyn tybed?

ymgyfarwyddo – *to familiarise oneself*
gwrol – *brave*
ci tywys – *guide dog*
archseren – *superstar*
beirniad craff – *astute judge*
gorwedd ar ei hyd – *to lie flat out*
moeli ei glustiau – *to prick up his ears*
dylyfu gên – *to yawn*
ar wastad ei gefn – *flat on his back*
llu gwaharddiadau – *numerous restrictions*

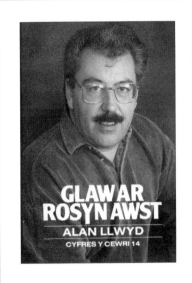

GLAW AR
ROSYN AWST

ALAN LLWYD

CYFRES Y CEWRI 14

CYFRES Y CEWRI

Alan Llwyd

Mae Alan Llwyd yn enwog fel bardd, awdur, ysgolhaig, golygydd, sgriptiwr ffilm a theledu, ac fel un o'r rhai a sefydlodd y Gymdeithas Gerdd Dafod, cymdeithas farddol sy'n trefnu gweithgareddau barddonol ac sy'n cyhoeddi llyfrau a'r cylchgrawn misol, *Barddas*. Fel bardd mae e wedi ennill Cadair a Choron yr Eisteddfod Genedlaethol yn ystod yr un flwyddyn – ddwywaith – yn 1973 ac 1976 – ac mae e wedi cyhoeddi nifer fawr o lyfrau.

Fel sgriptiwr, mae e wedi ysgrifennu sgriptiau ar gyfer y teledu ond yn fwy arbennig, efallai, fe sgriptiodd y ffilm *Hedd Wyn*, ffilm a gafodd ei dangos am y tro cyntaf yn 1992. Mae'r ffilm wedi ennill llawer o wobrau e.e. yng ngŵyl Ffilmiau Cannes, yn yr Ŵyl Ffilmiau Geltaidd, yng Ngŵyl Ffilmiau Efrog Newydd. Mae hi wedi ennill prif anrhydedd y Gymdeithas Deledu Frenhinol, chwe gwobr BAFTA Cymru, yn ogystal â chael ei henwebu am Oscar fel y ffilm dramor orau yn 1994.

Mae'r darnau nesaf yn sôn am ddau gyfnod pwysig yng ngyrfa Alan Llwyd – adeg cystadlu am Goron a Chadair yr Eisteddfod Genedlaethol, yn 1973, tra oedd e'n rheolwr siop Awen Meirion, a'r cyfnod buodd e'n gwneud gwaith ymchwil ar gyfer y ffilm *Hedd Wyn*.

ysgolhaig – *scholar*
golygydd – *editor*
barddol, barddonol – *poetic*
enwebu – *to nominate*

Llwyddiant Eisteddfodol

Penderfynais gystadlu am y Goron yn Eisteddfod Genedlaethol Dyffryn Clwyd yn 1973. 'Y Dref' oedd y testun.

Yn 1969 bu'r Arwisgo yng Nghastell Caernarfon. Bûm ar sawl gorymdaith a rali gwrth-arwisgo yn ystod 1969, a chymerais ran, gyda thri chyd-fyfyriwr mewn streic newyn am bedwar diwrnod, fel protest yn erbyn yr Arwisgo. Bûm ar rai o brotestiadau Cymdeithas yr Iaith hefyd, a threuliais ambell noson mewn llys barn ac mewn stiwdio ddarlledu.

Cyfnod chwerw oedd hwnnw, ddiwedd y Chwedegau. Ysgrifennais bryddest alegorïaidd ar y dref... Bûm wrthi am fisoedd yn gweithio ar y bryddest. Gweithiais ar y bryddest hyd at y funud olaf. Doeddwn i ddim wedi bwriadu cystadlu am y Gadair o gwbl.

Wrth roi'r cyffyrddiad olaf i'r bryddest, a hithau bron yn hanner nos, dechreuodd llinellau eraill, a chwpledi, ac englynion cyfan, ddod i'r meddwl. Arhosais ar fy nhraed drwy'r nos ac erbyn wyth o'r gloch y bore, roeddwn wedi

arwisgo – *investiture*
bu = buodd
bûm = bues i
gorymdaith – *march*
cyd-fyfyriwr – *fellow student*
newyn – *hunger*
stiwdio ddarlledu – *broadcasting studio*
pryddest – cerdd hir ar fesur rhydd
cyffyrddiad – *touch*
englyn – pedair llinell, mewn cynghanedd, sy'n odli

ysgrifennu awdl gyfan. Awdl am genhedloedd dan orthrwm oedd hon eto, a rhoddais y teitl 'Llef dros y Lleiafrifoedd' iddi. Roedd testun yr awdl yn agored y flwyddyn honno, a phostiais yr awdl a'r bryddest at swyddfa'r Eisteddfod gyda'i gilydd. Awdl a ysgrifennwyd ac a bostiwyd yng ngwres y foment oedd honno, ac ni chefais gyfle i'w chaboli mewn gwaed oer...

Un diwrnod, daeth fy mam ar y ffôn yn Awen Meirion. 'Ma isio iti wisgo siwt a thei ar y dydd Mawrth,' meddai mewn neges ddigon cryptig. Roedd y llythyr [oddi wrth yr Eisteddfod] yn mynnu fod y gyfrinach yn cael ei chadw, ac ufuddhaodd yn llwyr i'r gorchymyn. Roeddwn i'n gwybod yn iawn am beth roedd hi'n sôn. Cyfeiriad fy rhieni a roddais yn yr amlen dan sêl wrth anfon y bryddest a'r awdl i'r Eisteddfod. Roeddwn i'n gallu teimlo fy nghoesau'n gwegian danaf, ond doeddwn i ddim yn disgwyl y frawddeg nesaf. 'A dydd Iau hefyd,' meddai ar y pen arall. Doeddwn i ddim yn disgwyl hynny. Sut y gallai awdl wythawr ennill Cadair y Genedlaethol?...

Roedd un peth arall yn pwyso'n drwm ar fy meddwl cyn y Steddfod... Sut y gallwn wynebu'r gynulleidfa anferth

---

awdl – cerdd wedi ei hysgrifennu yn y mesurau caeth
cenhedloedd dan orthrwm – *oppressed nations*
llef dros y lleiafrifoedd – *a cry for the minorities*
caboli – *to polish*
mynnu – *to insist*
amlen dan sêl – *sealed envelope*
gwegian – *to shake*
pwyso'n drwm – *to weigh heavily*

yna? A'r camerâu? Roedd yr holl fater yn boendod i mi...
Roedd fy rhieni wrth eu boddau, wrth gwrs, ac yn
bresennol yn y pafiliwn. Roedd fy nghoesau fel plwm,
ond llwyddais i godi ac i gyrchu'r llwyfan i dderbyn y
Goron. Ar ôl mynd trwy'r broses unwaith, roedd yn haws
wynebu'r dydd Iau...

Hedd Wyn

Wn i ddim sut y cefais y weledigaeth, ond daeth fel fflach
o rywle: 'Ffilm ar Hedd Wyn!' Roeddwn i yn yr ardd yn
ein cartref yn Felindre ar y pryd, yn cael mygyn, a
rhuthrais i'r tŷ wedi cyffroi...

Un o'r pethau cyntaf a wneuthum oedd ymweld â'r
Amgueddfa Ryfel Ymerodrol yn Llundain, ac yno cefais
afael ar luniau o frwydr Cefn Pilkem ar yr union ddydd
y lladdwyd Hedd Wyn, lluniau gafodd eu defnyddio ar
gyfer sawl golygfa yn y ffilm, yn enwedig yr un o'r
milwyr yn croesi'r gamlas, llun a roddwyd ar y poster
ffilm swyddogol ac ar glawr y trydydd argraffiad o
Cerddi'r Bugail a gyhoeddwyd ym 1994. Yn ogystal, cefais

plwm – *lead*
cyrchu – *to make (one's) way to...*
gweledigaeth – *vision*
mygyn – *a smoke*
gwneuthum = gwnes i
Amgueddfa Ryfel Ymerodrol – *Imperial War Museum*
brwydr – *battle*
golygfa – *scene*
camlas – *canal*
swyddogol – *official*
argraffiad – *edition*

weld model eang o rwydwaith ffosydd o'r Rhyfel Byd Cyntaf ac offer ac arfau'r milwyr yn y cyfnod...

Wedyn, pan oedd Eisteddfod yr Urdd yn Y Drenewydd, ym Mai 1988, aeth y pedwar ohonom i aros ym Machynlleth. Cawsom un diwrnod yn y Steddfod, ac o Fachynlleth yr euthum am y tro cyntaf i'r Ysgwrn, cartref Hedd Wyn... Profiad anhygoel oedd hwnnw. Roedd mynd i mewn i'r tŷ yn union fel pe bai rhywun yn camu o un cyfnod i gyfnod arall. Doedd y tŷ ddim wedi newid llawer ers dyddiau'r Rhyfel Mawr. Roeddem wedi ffonio perchenogion yr Ysgwrn, Gerald ac Ellis Williams, dau nai Hedd Wyn, meibion Ann ei chwaer, ymlaen llaw i ofyn am ganiatâd i weld y tŷ, a chawsom ganiatâd.

Cawsom bob croeso gan y ddau... Dangoswyd cadeiriau Hedd Wyn imi, yn y parlwr bach, a chefais y fraint o eistedd yn y Gadair Ddu*, y fraint na chafodd Hedd Wyn

eang – *extensive*
rhwydwaith ffosydd – *the network of trenches*
offer – *tools*
arfau – *weapons*
euthum = es i
anhygoel – *incredible*
camu – *to step*
ymlaen llaw – *before hand*
caniatâd – *permission*
braint – *honour*

* Y Gadair Ddu – enillodd Hedd Wyn gadair Eisteddfod Genedlaethol 1917, ond cafodd ei ladd cyn medru derbyn ei wobr. Yn ystod yr eisteddfod, rhoddwyd lliain du dros y gadair achos bod y bardd wedi cael ei ladd yn y rhyfel.

ei hun... dangoswyd i mi luniau o'r teulu, o Hedd Wyn yn ifanc, a rhai toriadau a phytiau perthnasol a diddorol...

Roeddwn i'n gwybod, ar ôl yr ymweliad cyntaf hwnnw â'r Ysgwrn, am o leiaf un olygfa a fyddai yn y ffilm, golygfa emosiynol, ddieiriau o rieni Hedd Wyn yn derbyn y newyddion am farwolaeth eu mab. Ar ôl yr ymweliad â'r Ysgwrn, euthum ymlaen i wneud rhagor o ymchwil ar Hedd Wyn yn y Llyfrgell Genedlaethol yn Aberystwyth...

Yn ystod 1988 bûm yn ymchwilio i hanes cefndir a barddoniaeth Hedd Wyn, ac yn darllen nifer fawr o lyfrau ar y Rhyfel Mawr. Roeddwn i'n gwneud hyn gyda'r nosau, fel arfer, ar ôl gweithio i Gymdeithas Barddas yn ystod y dydd.

Treuliais bythefnos gyntaf mis Awst yng nghartref fy rhieni yn Llŷn, er mwyn i ni fel teulu gael gwyliau bach, ond hefyd fel fy mod i'n gallu teithio'n ôl ac ymlaen i Fangor. Roedd casgliad pwysig o bapurau personol Hedd Wyn yn Llyfrgell y Brifysgol ym Mangor, a bûm yn darllen y rheini, yn trefnu fy mod yn cael llun-gopïau ohonyn nhw, ac yn darllen papurau fel *Y Rhedegydd* yn ystod cyfnod Hedd Wyn a chyfnod y Rhyfel Mawr.

toriadau – *cuttings*
pwt, pytiau – *snippets*
dieiriau – *without words*

Euthum i'r Ysgwrn eto ar ôl yr ymweliad cyntaf hwnnw ym mis Mai. Erbyn diwedd 1988, roedd y cyffro a'r brwdfrydedd am y ffilm am Hedd Wyn wedi cydio yn Paul Turner *[y cyfarwyddwr]*. Aeth y ddau ohonom, a Janice gyda ni, i'r Gogledd; aros mewn gwesty ym Mhenmaen-mawr am noson, a Sue Roderick *[yr actores]* yn ymuno â ni yn y fan honno, ac ymlaen y diwrnod canlynol i Drawsfynydd. Roedd Paul wedi trefnu fod criw ffilmio yn aros amdanom yn Nhrawsfynydd. Yn ystod y bore, bu Paul yn ffilmio y tu mewn i'r Ysgwrn. Roedd yn ymhél â'r syniad o lunio rhaglen i gyflwyno'r ffilm ar y pryd, a hefyd roedd angen golygfeydd mewnol o'r tŷ arno ar gyfer cyfarwyddo'r ffilm.

Bu'r brodyr yn garedig ac yn amyneddgar. 'Wnewch chi mo'i ddangos o'n cael ei ladd, na wnewch?' gofynnodd Ellis, â deigryn yn ei lygaid. Efallai ein bod ni, Paul a minnau a'r criw ffilmio, yn ymdrin â pherson hanesyddol, â myth, ond i Ellis, ewythr annwyl a aberthwyd ar allor waetgoch y Rhyfel Mawr, a mab yr oedd ei daid a'i nain yn meddwl y byd ohono oedd gwrthrych y ffilm... Roeddwn i'n gwybod, wrth gwrs,

cyffro – *excitement*
brwdfrydedd – *enthusiasm*
cydio – *to grip*
ymhél â'r syniad – *to toy with the idea*
amyneddgar – *patient*
deigryn – *tear*
ymdrin â – *to deal with*
aberthu – *to sacrifice*
allor waetgoch – *blood-stained altar*
gwrthrych – *object*

nad oedd modd i mi osgoi darlunio Hedd Wyn yn cael ei glwyfo'n angheuol ar faes y gad...

Ar ôl y diwrnod hwnnw o ffilmio yn Nhrawsfynydd, troesom yn ôl tua'r De, y tri ohonom, wedi cael ein cyffroi fel plant bach yn disgwyl y Nadolig. Roedd ein sgwrs yn llawn o Hedd Wyn, o'r ffilm, o'r posibiliadau. Uchelgais Paul oedd ennill cydnabyddiaeth ryngwladol, cydnabyddiaeth bersonol yn ogystal â chydnabyddiaeth i deledu Cymraeg, gyda ffilm Gymraeg. 'Os na wna i hynny gyda'r ffilm yma, wna i byth,' meddai.
'Rwyt ti mor ffyddiog â hynna, wyt ti?' gofynnais.
'Wel, wyddost ti ddim. Does neb wedi cael *Oscar Nomination* am ffilm Gymraeg eto, oes 'na – ti'n gwybod, yn y categori ffilm dramor?'

Ac ymlaen â ni gan freuddwydio am ffilm Gymraeg yn derbyn enwebiad Oscar. Does dim byd o'i le ar gael ambell freuddwyd ffôl weithiau!

osgoi – *to avoid*
cael ei glwyfo'n angheuol – *to be fatally wounded*
maes y gad – *the battlefield*
uchelgais – *ambition*
cydnabyddiaeth ryngwladol – *international recognition*
ffyddiog – *confident*
wyddost ti ddim – *you never know*
enwebiad – *nomination*
does dim byd o'i le – *there's nothing wrong*
ffôl – *foolish*

CYFRES Y CEWRI

Dafydd Wigley

Gwleidydd ydy Dafydd Wigley. Mae e'n Aelod o Gynulliad Cenedlaethol Cymru dros Blaid Cymru ac yn Aelod Seneddol yn etholaeth Arfon yng Ngwynedd er 1974. Roedd e'n Llywydd Plaid Cymru o 1991 tan 2000.

Ar un adeg, buodd e'n gweithio fel prif Gyfrifydd Costau a Rheolwr Cynllunio Ariannol cwmni Mars yn Slough ac yna i gwmni Hoover ym Merthyr.

Fel Aelod Seneddol yn Llundain, mae e wedi gwneud llawer o waith dros bobl anabl. Fe oedd yn bennaf gyfrifol am Ddeddf Personau Anabl 1981 ac mae e'n Is-Gadeirydd Grŵp Anabledd Tŷ'r Cyffredin. Mae e wedi bod yn Llywydd Cymdeithas y Spastics yng Nghymru ac yn Is-Lywydd Cymru i'r Anabl.

Fel tad i feibion anabl, mae ganddo brofiad personol o anabledd. Yn y darn nesaf, mae e'n disgrifio salwch ac anabledd ei feibion.

gwleidydd – *politician*
etholaeth – *electorate*
cyfrifydd – *accountant*
Rheolwr Cynllunio Ariannol – *Financial Planning Manager*
yn bennaf gyfrifol – *mainly responsible*

Alun a Geraint

Daeth y newyddion am anabledd ein meibion, Alun a
Geraint yn sydyn, yn gynnar ym 1974. Ar y pryd, roedd
Alun yn ddwy a hanner oed a Geraint yn ddeunaw mis.

Nid anghofiaf y lle a'r amser pan gefais wybod fod ein
byd yn deilchion... Daeth galwad ffôn i mi, ac roeddwn
i'n gwybod ar unwaith fod rhywbeth mawr o'i le. Roedd
Elinor wedi gweld meddyg plant o Gaerdydd yn
gynharach yn y diwrnod, ac roedd o wedi methu â
chuddio'i fraw o sylweddoli nad oedd o wedi darganfod
gwir gyflwr y bechgyn cyn hynny. Yn ei fraw, torrodd y
newydd i Elinor mewn ffordd drwsgl iawn, a dweud y
lleiaf, gan ddweud fod nam difrifol iawn arnynt.

Nid oeddwn yn fodlon derbyn a chredu'r newyddion
hyn. Trefnwyd ar unwaith i Alun a Geraint gael profion
yn Ysbyty'r Brifysgol, Caerdydd. Tra oeddem yn disgwyl
am y profion hyn, ceisiais barhau â'm gwaith yn Hoover.
Wrth adael cyfarfod amser cinio dydd Iau, 7 Chwefror,
clywais ar radio'r car fod Etholiad Cyffredinol wedi ei
gyhoeddi.

Ond yn lle troi am Arfon ar unwaith i gychwyn yr

yn deilchion – *in pieces*
rhywbeth mawr o'i le – *something seriously wrong*
braw – *fear*
gwir gyflwr – *the real condition*
trwsgl – *clumsy*
nam – *impairment*
etholiad cyffredinol – *general election*
cyhoeddi – *to announce*

ymgyrch, roedd gan Elinor a minnau siwrnai arall y diwrnod hwnnw – i'r ysbyty yng Nghaerdydd i gael y profion ar y bechgyn... Tra oeddwn yn yr ysbyty yn disgwyl canlyniadau'r profion, gofynnwyd i mi fynd i stiwdio deledu i wneud rhaglen am yr etholiad. Ni fu gennyf erioed lai o ddiddordeb mewn unrhyw raglen.

Dychwelais i'r ysbyty, a thoc, fe gadarnhawyd ein hofnau gwaethaf. Yr oedd cyflwr genetig difrifol ar y bechgyn. Byddent yn dioddef o anallu corfforol a meddyliol ac ni fyddent yn byw i oed llawn...

Nid Elinor a minnau oedd y rhai cyntaf ac, yn anffodus, nid ni fydd y rhai olaf ychwaith, i orfod derbyn newyddion trist fel hyn am blant neu anwyliaid eraill. Mae'r sefyllfa yr un mor ddwys bob tro a'r chwalfa yr un mor greulon i bob rhiant. Roedd yn ergyd ddwbl i ni, gan fod y ddau fachgen yn yr un cyflwr. Yn ogystal â hyn, roedd Elinor ar ugeinfed wythnos ei beichiogrwydd, a gallai'r baban hefyd·ddioddef o'r un cyflwr.

Y peth lleiaf pwysig y diwrnod du hwnnw oedd y newyddion fod Etholiad Cyffredinol wedi ei alw. Buom yn trafod â'r arbenigwyr wedyn sut byddai afiechyd y bechgyn yn effeithio arnom fel teulu, ac yn ystod un sgwrs dywedais fy mod i fod i sefyll etholiad ond fy mod

siwrnai – *journey*
toc – *soon*
fe gadarnhawyd – *were confirmed*
dwys – *serious, intense*
chwalfa – *upheaval*
beichiogrwydd – *pregnancy*

i'n barod i dynnu'n ôl yn y fan a'r lle. Gofynnodd y meddyg imi a oedd gennyf unrhyw siawns o ennill. Dywedais beth oedd canlyniad yr etholiad blaenorol, pan oedd y Blaid wedi dod o fewn rhyw ddwy fil o bleidleisiau i gipio'r sedd. Oedd, yr oedd yn ddigon posibl y byddem yn gallu ennill y tro hwn, meddwn.

Dywedodd y meddyg mai'r unig beth i'w wneud o dan yr amgylchiadau oedd cymryd pob dydd yn ei dro; byw o ddydd i ddydd a pheidio ag edrych ymhellach na hynny. Mor aml wedyn roedd rhaid i ni atgoffa'n hunain o'r cyngor hwn. Un dydd ar y tro...

Bu Alun, am gyfnod, yn gallu cerdded – yn wir, yn ystod y cyfnod hwnnw, roedd yn *hyper-active* ar brydiau, ac yn mynd-mynd-mynd, heb lawer o batrwm nac unrhyw synnwyr o berygl... Yn ddiweddarach, pallodd ei allu i redeg, yna nid oedd yn gallu cerdded, ac yn y diwedd nid oedd yn gallu sefyll. Bu mewn cadair olwyn am gyfnod hir. Nid oedd Geraint yn gallu rhedeg, er ei fod yn ceisio gwneud hynny, nes baglu a tharo'i ben yn y llawr neu'r wal. O ganlyniad, roedd ganddo lwmp parhaol ar ei dalcen. Ymhen tipyn, cawsom helmed i amddiffyn ei ben wrth iddo gwympo. Yn y diwedd, roedd rhaid i Geraint, hefyd, gael cadair olwyn.

yn y fan a'r lle – *there and then*
pleidleisiau – *votes*
cipio'r sedd – *to take the seat*
atgoffa – *to remind*
pallu – *to fail*
yn gyson – *constantly*
parhaol – *permanent*

Ni lwyddodd yr un ohonynt i siarad llawer. Roedd gan Alun fwy o eirfa na Geraint, ac roedd o'n gallu ynganu tua chant o eiriau efallai. Roedd y ddau yn deall tipyn, ac roedd hi'n bosibl adrodd straeon syml iddynt a'u cael i ymateb, a hyd yn oed ailadrodd rhannau...

Dirywiodd eu gallu i siarad yn fuan ac, yn raddol, eu gallu i ddeall hefyd. Yn y diwedd dim ond ambell waith roedd hi'n bosibl teimlo bod unrhyw gysylltiad rhyngom, a thrwy gerddoriaeth yn bennaf roedd hyn yn bosibl. Bu'r ddau yn ymateb i gerddoriaeth drwy gydol eu bywyd byr. Roedd Alun yn gallu mwmian 'Tôn y Botel' cyn iddo fod yn flwydd oed a thrwy gerddoriaeth roedd hi'n bosibl cyfathrebu â hwy a'u cael i ymateb pan oedd geiriau wedi pallu. Oherwydd y profiad hwn daethom yn ymwybodol iawn o therapi cerdd...

Mae angen newid byd sy'n ei ystyried ei hun yn 'normal' i dderbyn bod pobl anabl yr un mor 'normal', ac nad oes lle i dermau megis 'ab-normal' neu 'is-normal'. Dylai byw ac ymwneud â phobl sydd ag anabledd arnynt fod yn rhan naturiol o fywyd bob dydd pob un ohonom. Byd 'ab-normal' yw byd sy'n ofni anabledd, ac sy'n ceisio ei guddio o'r golwg mewn corneli...

ynganu – *to pronounce*
ailadrodd – *to repeat*
dirywio – *to deteriotate*
cyfathrebu – *to communicate*
ymwybodol – *aware*
yr un mor – *just as*
ymwneud â – *to be involved with*

Ceisiodd Elinor a minnau fyw bywyd mor 'normal' ag oedd yn bosibl o dan yr amgylchiadau... Ond os nad oedd hi'n bosibl i ni wneud popeth roeddem eisiau ei wneud yn ein gyrfa ac wrth i ni wneud ein dyletswyddau, rhaid cydnabod hefyd fod anabledd y bechgyn wedi agor ein meddyliau, wedi dysgu llawer i ni am fywyd, ac wedi'n harwain ni i wneud yr hyn roeddem yn gallu ei wneud dros bobl anabl. Cymerodd Elinor ddiddordeb mawr mewn cerddoriaeth fel therapi ar gyfer anabledd... Gwnes i'r hyn roeddwn i'n gallu ei wneud yn Nhŷ'r Cyffredin a thrwy fudiadau megis Mencap a chymdeithas y Spastics, gan gyfrannu o'm profiad. Heb ddylanwad Alun a Geraint ar ein bywydau ni fuasai hyn wedi bod yn bosibl...

Yn y diwedd, roedd cyflwr Alun a Geraint wedi dirywio cymaint nes ei bod bron yn amhosibl i ni fedru gofalu amdanynt gartref. Roeddent yn wael eu hiechyd, yn ogystal â bod yn eithriadol o anabl erbyn hyn. Roedd pob gallu i siarad wedi diflannu, roedd y gallu i gerdded hefyd wedi mynd, roedd anadlu'n boen, ac roedd rhaid cael cyffuriau i ymladd yn erbyn afiechydon cyson...

Ar nos Nadolig 1984, trawyd Alun yn ddifrifol wael.

dyletswyddau – *duties*
cydnabod – *to acknowledge*
yr hyn – *what*
mudiadau – *movements*
anadlu – *breathing*
afiechydon – *illnesses*
taro'n ddifrifol wael – *to become seriously ill*

Roedd wedi bod yn Ysbyty'r Bwth, Caernarfon ers peth amser, ond roeddem yn disgwyl y byddai'n ddigon da i ddod adref, am ychydig, o leiaf, ar ddydd Nadolig. Nid felly y bu. Roedd yn rhy wael i ddod allan o'r ysbyty, ac ar y noson honno gwaethygodd yn arw. Bu Elinor a minnau wrth ei wely am y tri diwrnod nesaf. Yno yr oeddem pan fu farw am chwech o'r gloch y bore ar Ragfyr 29.

Bu Geraint fyw am dri mis arall. Byddai gartref am gyfnodau, pan oedd ei iechyd yn caniatáu, ac yn Ysbyty Gwynedd neu Ysbyty'r Bwth. Yno, yn Ysbyty'r Bwth, yn yr un ystafell ag y bu farw ei frawd, y bu farw yntau ar 18 Mawrth, 1985. Roedd Elinor a minnau yno gyda Geraint hefyd hyd y diwedd. Yn y ddwy brofedigaeth, cawsom gynhaliaeth anhygoel gan staff Ysbyty'r Bwth... a chawsom garedigrwydd llu o gyfeillion. Heb y rhain oll, byddai wedi bod yn anodd iawn. Roedd pennod wedi dod i ben, a dim ond atgofion mwyach am y bechgyn a gyfrannodd gymaint inni ac a fu'n rhan annatod a chanolog o'n bywydau.

ysbyty'r bwth – *cottage hospital*
nid felly y bu – *it wasn't to be*
gwaethygu'n arw – *to deteriorate seriously*
profedigaeth – *bereavement*
cynhaliaeth – *support*
anhygoel – *incredible*
llu – *host*
mwyach – *from now on*
annatod – *integral*
canolog – *central*

CYFRES Y CEWRI

Gwynfor Evans

Mae Gwynfor Evans wedi chwarae rhan bwysig iawn yng ngwleidyddiaeth Cymru. Buodd e'n Llywydd Plaid Cymru o 1945 i 1981 a fe oedd Aelod Seneddol cyntaf y Blaid yn Nhŷ'r Cyffredin. Cafodd ei ethol yn 1966 i gynrychioli etholaeth Caerfyrddin.

Cofir amdano yn arbennig am ei safiad dros sianel Gymraeg i Gymru. Ers blynyddoedd, roedd llawer o ymgyrchu wedi bod yng Nghymru i gael sianel Gymraeg ac yna addawodd y Blaid Geidwadol a'r Blaid Lafur y bydden nhw'n sefydlu pedwaredd sianel Gymraeg i Gymru petaen nhw'n cael eu hethol. Ond, ar ôl cael ei hethol, torrodd y llywodraeth Dorïaidd ei gair.

Penderfynodd Gwynfor Evans, felly, fod yn rhaid gwneud rhywbeth cadarn. Penderfynodd ymprydio at farwolaeth os nad oedd y llywodraeth yn fodlon caniatáu sianel Gymraeg i Gymru.

Mae'r darn nesaf yn cofio'n arbennig am y cyfnod yma yn ei fywyd ac am ei safiad dros y sianel Gymraeg.

cynrychioli – *to represent*
cofir amdano – *he is remembered*
ymprydio – *to fast*
safiad – *stance*

Llwyddiant

Ar 12 Medi 1979, yng Nghaergrawnt, cyhoeddodd William Whitelaw, yr Ysgrifennydd Cartref, nad oedd y Llywodraeth yn bwriadu cadw ei haddewid i sefydlu'r sianel deledu Gymraeg.

Erbyn diwedd y flwyddyn penderfynais y byddwn yn ymprydio hyd nes y byddai'r Llywodraeth yn cyhoeddi ei bod am gadw ei haddewid a sefydlu sianel Gymraeg. Nid oeddwn yn disgwyl y byddai'n ymateb yn gadarnhaol...

Ar Fawrth 31 cyhoeddwyd llythyr gennyf yng ngholofn lythyrau *The Times* yn galw ar y Llywodraeth i gadw ei haddewid, heb ddatgelu dim o'm cynllun i wrth gwrs.

Yn Ebrill, gyda chymorth Emyr Humphreys, paratoais y datganiad y byddwn yn ei wneud wrth gyhoeddi'r bwriad. Erbyn hyn roeddwn wedi penderfynu mai ar ddechrau Mai y byddwn yn gwneud y datganiad hwn...

Ar ddydd Llun, Mai 5, cyhoeddais y byddwn yn dechrau ymprydio Ddydd Llun Hydref 6 oni byddai'r Llywodraeth yn ailfeddwl...

Caergrawnt – *Cambridge*
cyhoeddi – *to announce*
ymateb yn gadarnhaol – *to respond positively*
datgelu – *to disclose*
datganiad – *statement*
priodol – *appropriate*
oni byddai'r Llywodraeth yn ailfeddwl – *unless the Government reconsidered*

Cynyddodd y cyhoeddusrwydd i'm bwriad i ymprydio wrth i'r wythnosau a'r misoedd fynd heibio...

O'r dechrau roedd papurau Iwerddon, Yr Alban a Chymru wedi sôn am fy mwriad. Erbyn dechrau Medi roedd pob papur dyddiol Prydeinig wedi cario'r stori, gydag erthyglau sylweddol, ac weithiau fwy nag un, yn y *Guardian, Sun, Mail, Express, Mirror, Telegraph* a'r *Times.* Cyhoeddodd 'Y Taranwr' erthygl flaen gefnogol yn ogystal â llawer o lythyrau trwm. Gwnaeth rhai papurau Sul yn fawr ohono, megis y *Sunday Telegraph,* yr *Observer* (a gyhoeddodd erthygl nodwedd yn ei atodiad lliw,) a'r *Sunday Times,* a gyhoeddodd erthygl flaen gefnogol yn Gymraeg.

Yn ogystal â'r wasg, roedd gan y teledu ddiddordeb mawr. Gwneuthum amryw o raglenni, rhai ohonynt fel *Panorama* yn dwyn pwysau yn Lloegr, a rhai yng Nghaeredin, a oedd yn helpu'r achos cenedlaethol yn Yr Alban. Bu timau teledu o'r Almaen a Chanada yn y Dalar Wen...

Cefais arwydd yng Ngorffennaf fod y Llywodraeth yn dechrau poeni o ddifri. Trwy'r Arglwydd Cledwyn daeth gwahoddiad i mi gwrdd â Nicholas Edwards. Cawsom gyfarfod cyfrinachol ar 21 Gorffennaf yn Sain Ffagan

gwneud yn fawr o – *to make much of*
erthygl nodwedd – *feature*
atodiad lliw – *colour supplement*
y wasg – *the press*
gwneuthum = gwnes i
dwyn pwysau – *to bring pressure to bear*

yng nghartref Syr Hywel Evans, pennaeth y Swyddfa Gymreig y pryd hwnnw, gyda Syr Hywel ei hun yn bresennol. Mewn dwy awr o drafod ystyriwyd pob gwedd ar y polisi, gan gynnwys, wrth gwrs, pwy fyddai'n gwneud y rhaglenni; pa berthynas a fyddai rhwng y BBC, Harlech a Sianel annibynnol; pwy fyddai'n rheoli ac ati. Rhoddodd yr Ysgrifennydd Gwladol sylw arbennig i'r gost. Roedd e'n dal fod ei chost yn gwneud sianel Gymraeg yn anymarferol...

Yn y cyfamser bu llawer cyfaill i'r achos y tu allan i Blaid Cymru yn poeni'n fawr ac yn awyddus i helpu. Yng Ngorffennaf dywedodd yr Archesgob, y Gwir Barchedig Gwilym O. Williams, wrthyf ei fod ef, Syr Cennydd Treharne a Syr Goronwy Daniel am weld y Prif Weinidog a'i fod yn deall bod Nicholas Edwards yn trefnu'r ymweliad. Er mwyn paratoi ar gyfer hyn cefais wahoddiad ganddo i ginio yn Nolserau, Dolgellau. Wn i ddim pam na welwyd y Prif Weinidog. Sut bynnag, ar gais Cyngor yr Eisteddfod cyfarfu'r Archesgob, Syr Goronwy Daniel a'r Arglwydd Cledwyn a'r Ysgrifennydd Cartref, William Whitelaw, ar Fedi 10, bron flwyddyn union ar ôl datganiad Whitelaw yng Nghaergrawnt...

gwedd – *aspect*
dal – *to hold*
anymarferol – *impractical*
yn y cyfamser – *in the meantime*
cyfaill i'r achos – *a friend to the cause*
ar gais – *at the request of*
cyfarfu = cyfarfyddodd – *met*
datganiad – *statement*

Cyfaill arall a oedd yn awyddus iawn i helpu oedd Michael Foot; cefais wahoddiad i ginio gydag ef yn un o'i hoff dafarnau, y 'Griffin', Llyswen, ar lannau Gwy yn ymyl Llanfair-ym-Muallt. Erbyn hyn aeth yn dipyn o jôc fy mod yn cael ciniawau mor braf cyn dechrau ymprydio. Sut bynnag, ar noswaith hyfryd yng nghanol Awst cawsom eog ffres o Afon Gwy a sawsiau blasus arno. Ar ôl trafod y sefyllfa addawodd Michael Foot weld William Whitelaw a dywedodd y byddai'n mynnu ei weld heb fod yr un gwas sifil yn bresennol...

Rhwng Medi 6 a'r noson cyn dechrau'r ympryd ar Hydref 5, roeddwn wedi trefnu dau ar hugain o gyrddau yng Nghymru, yn ogystal â thri arall roeddwn wedi eu haddo i'r S.N.P. yn Yr Alban. Bu pob un o'r rhain yn llwyddiant. Daeth dwy fil o bobl i'r rali gynhyrfus a ddechreuodd y gyfres ar Sadwrn Medi 6 yn Ngerddi Sophia, Caerdydd. Y diwrnod hwnnw nid oedd yn anodd credu y byddai'r dydd yn dod pan fyddai Cymru'n byw fel cenedl eto. Yn Glasgow roeddwn i ar y nos Lun ganlynol a mil o bobl yn llenwi'r McClellan Galleries...

Am fy mod yn hwyr yn cyrraedd roedd hi'n un ar ddeg o'r gloch ar y cwrdd yn dod i ben. Er ei bod hi'n hwyr iawn, gofynnwyd i mi sefyll wrth y drws i ysgwyd llaw â phob un wrth iddo fynd allan, ac fe roddodd pob un o'r mil Sgotsmyn air o fendith neu o ddymuniadau da.

Afon Gwy – *the river Wye*
mynnu – *to insist*
cyrddau – *meetings*
cenedl – *nation*
bendith – *blessing*

Dilynwyd y cwrdd hwn gan gyrddau mawr yn Forfar a Chaeredin, gyda chyfweliadau i'r wasg a rhaglenni radio a theledu yn llenwi'r ddeuddydd a dreuliais gyda'm hen gyfeillion Sgotaidd.

Yn ôl yng Nghymru, Aberdâr oedd lleoliad cwrdd y degfed o'r mis; cyfarfod brwd iawn eto a'r neuadd yn orlawn, ac ugeiniau yn gorfod sefyll. Yr un diwrnod bu'r 'tri gŵr doeth', yr Archesgob a'i ddau gyfaill, yn gweld William Whitelaw. Pan ddaeth Syr Goronwy Daniel ar y ffôn â mi drannoeth i sôn am y cyfarfod roeddent wedi ei gael, roedd hi'n amlwg ei fod yn ofni na fyddai'r Llywodraeth yn ildio. Dyna'r diwrnod hefyd y gwelodd Michael Foot yr Ysgrifennydd Cartref. Cefais lythyr llawn ganddo wedi ei ysgrifennu'n union ar ôl y cyfarfod. Roedd e'n fwy sicr na hyd yn oed Syr Goronwy na fyddai'r Llywodraeth yn newid ei meddwl...

Dydd Mercher, Medi 17, wythnos ar ôl i Michael Foot a'r tri weld Whitelaw, cyhoeddodd Nicholas Edwards y byddai Cymru'n cael gwasanaeth Cymraeg yn ystod yr oriau brig ar y Bedwaredd Sianel ac y byddai bwrdd annibynnol i'w reoli gydag arian digonol wrth gefn...

Nid ildiwyd popeth. Dwy awr ar hugain yr wythnos a ganiatawyd i ddechrau, nid y pum awr ar hugain roeddwn i'n eu rhoi yn un o'r gofynion. Ac nid oedd

ildio – *to give in, to yield*
oriau brig – *peak hours*
digonol – *sufficient*
wrth gefn – *in reserve*

146

gwarant y byddai'r sianel Gymraeg yn dechrau peth amser o flaen y Bedwaredd Sianel yn Lloegr. Roeddwn wedi rhoi'r gorau i'r gobaith y byddai'n dechrau fisoedd o flaen y sianel Saesneg wrth weld yr wythnosau a'r misoedd yn mynd heibio, ond roeddwn yn dal i obeithio am fis er mwyn rhoi cyfle i'r sianel Gymraeg gael ei thraed dani cyn wynebu cystadleuaeth newydd o Lundain...

Er nad oeddem yn cael popeth roeddem wedi gofyn amdano, roedd y gwasanaeth Cymraeg yn dechrau gyda thair awr a chwarter bob nos ar gyfartaledd... Byddai'n wasanaeth annibynnol ymreolus. Byddai'n derbyn arian digonol a fyddai'n ei gwneud yn bosibl cynhyrchu rhaglenni o safon uchel. Byddai safle'r iaith yn cael ei chryfhau gan sefydliad Cymraeg newydd sbon nad oedd gan Gymru ddim byd tebyg iddo.

Yng Nghrymych, yn ardal y Preselau, roedd y cwrdd y noson honno. Er mai pentref bychan yw Crymych daeth wyth gant i'r neuadd ac roedd y newyddion am ddarostyngiad y Llywodraeth wedi mynd trwy'r ardal. Pan gyhoeddais fy mod yn rhoi'r gorau i'm bwriad i ymprydio ffrwydrodd y dorf. Mynegwyd eu teimladau

gwarant – *guarantee*
cael ei thraed dani – *to be firmly established*
ymreolus – *self-governing*
safle – *position*
sefydliad – *institution*
darostyngiad – *climb-down*
ffrwydro – *to explode*
mynegi – *to express*

147

yn y casgliad. Mewn ymateb i apêl gan Merfyn Phillips cyfrannwyd £2,100; mae casgliad Crymych yn chwedl erbyn hyn. Tebyg oedd y profiad y noson ddilynol ym Mhorthmadog – y llwyfan bron mor llawn â llawr y neuadd, a chasgliad o bron fil o bunnau. Yn Llangefni ar y nos Wener bu'n rhaid annerch y tri neu bedwar cant a fethodd ddod i mewn i neuadd fawr y dref o'r balastrad y tu allan.

Parhaodd y brwdfrydedd mewn cyrddau neu giniawau mawr o nos i nos yng Nghricieth, Y Rhondda, Yr Wyddgrug, Caerdydd, Trecelyn (Gwent), Aberaeron, Merthyr Tudful, Maesteg, Pontypridd, Llandeilo, ac ar y nos Sul, 5 Hydref, y noson cyn y dydd roeddwn i fod i ddechrau'r ympryd, yng Nghaerfyrddin.

Os nad oedd Cymru ar dân, roedd tipyn o fflamau yn neidio o'r marwor. Yn y dyddiau hynny roedd y sgôr i'w gweld mewn llythrennau mawr tair troedfedd o uchder ar y wal uwchben Afon Tafwys a oedd yn wynebu Senedd Westminster:

GWYNFOR 1 - THATCHER 0.

chwedl – *legend*
marwor – *embers*
Afon Tafwys – *the River Thames*

R S THOMAS

neb

CYFRES Y CEWRI 6
CYFRES Y CEWRI 6
CYFRES Y CEWRI 6
GOLYGYDD

GWENNO HYWYN

CYFRES Y CEWRI

R.S. Thomas

Mae R.S. Thomas yn enwog fel bardd, cenedlaetholwr, heddychwr ac fel un a fuodd yn cefnogi CND.

Mae'r gyfrol *Neb* yn llawn atgofion am fywyd y gŵr arbennig hwn. Mae'n disgrifio'i hanes, o'i ddyddiau cynharaf i'w gyfnod fel rheithor a ficer mewn gwahanol rannau o Gymru, ac yn olaf i gyfnod ei henaint.

Ceir rhai o'r atgofion hyn yn y darnau nesaf. Mae'r cyntaf yn sôn am y cyfnod pan oedd yn giwrad yn Y Waun *(Chirk)*, yng Ngogledd-Ddwyrain Cymru. Yna, mae hanes ei gyfnodau yn Hanmer, ger Wrecsam, ac ym Manafon yn Sir Drefaldwyn, a sut y daeth i ddysgu'r iaith Gymraeg. Yn olaf, ceir darn sy'n neidio'r blynyddoedd ac sy'n sôn ychydig am gyfnod ei henaint, ym Mhen Llŷn.

Mae'r darnau hyn yn defnyddio 3ydd person unigol y ferf, (e.e. "cafodd R.S." "pregethodd"). Dyma sut recordiodd R.S. Thomas ei hanes ar dâp ar gyfer y llyfr.

Ym 1938 daeth y deffroad. Roedd y sefyllfa yn Ewrob yn dirywio a chafodd R.S. lyfr gan Hewlett-Johnson, deon Caergaint – y Deon Coch – a oedd yn rhoi'r bai am gyflwr Ewrob ar y cyfalafwyr.

Rhoddodd R.S. Thomas sgwrs am y llyfryn hwn i Toc H a chafodd gymeradwyaeth frwd. Pregethodd ar yr un testun yn eglwys y plwyf y Sul canlynol. Ond wrth iddo drafod y pwnc wedyn gyda'i ficer a dweud sut roedd yn teimlo, fe drodd hwnnw arno a dweud "Peidiwch â phregethu'r ffasiwn beth". Agorodd hyn ei lygaid i ffaith y daeth yn fwyfwy ymwybodol ohoni wedyn: doedd yr Eglwys ddim yn barod i gondemnio rhyfel, dim ond i annog bechgyn i wneud eu 'dyletswydd' a gweddïo drostynt wedyn. Ond roedd gan R.S. Thomas ddelfrydau ac felly roedd y sefyllfa'n ddigon eglur. Heddychwr oedd Crist, ond nid felly'r Eglwys a sefydlwyd yn ei enw.

Yn y cyfamser aeth pethau ymlaen fel arfer... Ond dan ddylanwad y wlad braf a chyffrous oedd i'r gorllewin, daliodd ati i ysgrifennu barddoniaeth, telynegion addfwyn, diniwed yn null beirdd Sioraidd, oherwydd

deffroad – *awakening*
dirywio – *to deteriorate*
deon Caergaint – *Dean of Canterbury*
cyfalafwyr – *capitalists*
cymeradwyaeth frwd – *enthusiastic applause*
ffasiwn beth – *such a thing*
y daeth yn fwyfwy ymwybodol ohoni – *which he became increasingly aware of*
delfrydau – *ideals*
heddychwr – *pacifist*
telynegion addfwyn – *sweet lyrical poetry*
yn null – *in the style of*
Sioraidd – *Georgian*

dyna'r cefndir i'w ddarllen ymhlith y beirdd. Edward Thomas oedd un o'i hoff feirdd a gan fod hwnnw wedi ysgrifennu am y wlad, ceisiodd y bardd ifanc ei efelychu. Doedd y beirdd Saesneg mwy cyfoes, fel Hopkins, Wilfred Owen, Pound ac Eliot ddim wedi torri i mewn eto i'w fyd mewnol i ddryllio'r breuddwydion afreal a oedd yno. A, gwaetha'r modd, doedd y beirdd Cymraeg ddim yn bod iddo...

O'r diwedd, clywodd am ofalaeth ym Maelor Saesneg oedd â thŷ gyda hi. Rhan o blwyf Hanmer oedd hi. Rŵan roedd Cymru a'i bryniau ymhellach nag erioed, ac edrychai'n anobeithiol arnynt dros filltiroedd o dir gwastad, anniddorol...

Erbyn hyn roedd y rhyfel wedi dechrau o ddifrif, ac er nad oedd llawer o berygl lleol, roedd y plwyf ar ffordd yr awyrennau Almaenig wrth iddynt fynd tuag at lannau Mersi. Bob nos, pan oedd y tywydd yn caniatáu, byddai'r awyrennau'n dod drosodd ar eu ffordd i mewn, a chyn hir roeddent yn mynd ar nerfau'r ciwrad. Nid oherwydd ofn ond oherwydd diflastod ac anobaith wrth feddwl eu bod ar eu ffordd i ollwng eu llwythi dieflig ar wragedd a phlant diymadferth...

efelychu – *to emulate*
dryllio – *to shatter*
breuddwydion afreal – *unreal dreams*
gofalaeth – *pastorate*
llwythi dieflig – *fiendish loads*
diymadferth – *helpless*

Weithiau byddai'r Almaenwyr yn gollwng ychydig o fomiau ar yr ardal, ar ôl gweld golau yn rhywle efallai, ond heb achosi niwed i neb... Rhyw noson, roedd yn digwydd bod yn edrych trwy'r ffenestr, pan glywodd fom yn sgrechian ar ei ffordd i lawr yn bur agos. Disgwyliodd am y ffrwydrad, ond ddigwyddodd dim. Drannoeth gwelwyd bod y bom wedi plymio i'r ddaear o fewn llathen neu ddwy i fwthyn to sinc, lle roedd hen gwpwl yn byw. Roeddent yn cysgu'n sownd ar y pryd heb sylweddoli fod dim anghyffredin wedi digwydd!...

Un noson, pan oedd yn gadael yr eglwys, a oedd drws nesaf i'r tŷ, clywodd glep ddychrynllyd yn bur agos. Rhedodd i mewn ac annog ei wraig i ddod i lechu dan y grisiau, a dyna lle buont am oriau, tra oedd yr awyrennau dieithr yn cylchdroi uwch eu pennau... Gollyngwyd llawer bom yn yr ardal y noson honno, a rhoddwyd y bryndir ar dân yng nghyffiniau Minera. Wrth weld y fflamau, dechreuwyd gollwng bomiau yno hefyd a chafodd rhyw fugail oedd yn byw yn ymyl y rhostir fraw ei fywyd.

ffrwydrad – *explosion*
plymio – *to dive*
llathen neu ddwy – *a yard or two*
dim anghyffredin – *nothing out of the ordinary*
clep ddychrynllyd – *a frightful bang*
annog – *to encourage*
llechu – *to hide, shelter*
cylchdroi – *to fly in circles*
bryndir = bryn + tir – *hills*
yng nghyffiniau = yn ardal
rhostir = rhos + tir – *moorland*

Roedd yn gas gan y ciwrad feddwl am y difrod a fyddai'n digwydd bron bob nos, ac roedd hiraeth arno am y bryniau yn y pellter (roedd Moel Fama i'w gweld yn ddigon eglur tua'r gogledd orllewin), felly penderfynodd ddysgu Cymraeg, er mwyn cael dod yn ôl i'r wir Gymru...

Ychydig iawn o betrol at ddibenion preifat oedd ar gael, ond roedd gan ei wraig ddosbarth yn un o'r ysgolion bonedd heb fod yn bell o Langollen, ac ar ôl holi clywodd am athro yn y dref honno a fyddai'n barod i roi gwers Gymraeg iddo ar yr un noson. Iorwerth Roberts oedd hwnnw, ac ato fo yr aeth y dyn ifanc am gyfnod, er bod ei gynnydd yn ddigon araf heb neb i ymarfer yr iaith hefo fo. Trwy drugaredd, ymhen dwy flynedd clywodd fod plwyf yn Sir Drefaldwyn yn wag, ac aeth i'w weld. Ond wedi sôn wrth ei hen ficer am y plwyf, clywodd fod problemau yno, a dywedodd y ficer y byddai'n well ganddo ei weld ym Manafon, a oedd yn wag hefyd. Aeth i weld hwnnw a chyn pen dim, diolch i ddylanwad ei gyn-ficer, roedd wedi cael ei benodi'n Rheithor Manafon.

Er nad oedd y Gymraeg yn cael ei siarad yn y plwyf hwn, roedd yn y bryniau ac o fewn cyrraedd lleoedd megis Yr

difrod – *damage*
at ddibenion preifat – *for private use*
ysgol fonedd – *private school*
trwy drugaredd – *fortunately*
cyn pen dim – *in no time*
rheithor – *rector*

Adfa a Llanfair Caereinion. Roedd yr iaith i'w chlywed yno, a hyd yn oed ar y gribin rhwng Manafon a Llanfair roedd capel lle roedd gwasanaethau ac eisteddfodau yn cael eu cynnal yn Gymraeg yn unig. Roedd hefyd gapel Cymraeg yn Yr Adfa, ac aeth at y gweinidog yno am gymorth hefo'i Gymraeg. D.T. Davies oedd hwnnw, un o'r de, ond ymhen ychydig symudodd, ac aeth y Rheithor newydd at weinidog Penarth, y capel rhwng Manafon a Llanfair, a gofyn am help hwnnw. H.D. Owen oedd hwn, yn enedigol o Benrhosgarnedd. Bendith oedd hyn oherwydd roedd y dysgwr yn dod i siarad iaith y gogledd. Cafodd groeso mawr gan H.D. a'i wraig Megan, ac wedi ymbalfalu ymlaen am flynyddodd daeth i siarad yn weddol foddhaol...

Dyma R.S., tua diwedd ei oes, yn gorfod brwydro yn erbyn temtasiwn pob hen ŵr, sef anobaith. Edrychai yn ôl a gweld bod y gorffennol yn well na'r presennol.

Ers talwm yng Nghymru roedd y Gymraeg yn ddiogel. Roedd yma frawdoliaeth a chymdogaeth. Doedd diwydiant trwm ddim wedi cyrraedd de Cymru i'w anharddu... Roedd pensaernïaeth yn well... ac roedd y

cribin – *ridge*
bendith – *blessing*
ymbalfalu ymlaen – *to plod on*
anobaith – *despair*
brawdoliaeth – *brotherhood, fraternity*
cymdogaeth – *community*
anharddu – *to disfigure*
pensaernïaeth – *architecture*

crefftwr yn ymfalchïo yn ei waith. Yn ogystal, roedd y wlad yn gymharol rydd o effaith andwyol presenoldeb y Sais. Roedd R.S. yn gweld y chwyldro diwydiannol fel prif drychineb Cymru...

Yn y gorffennol bu Pen Llŷn yn wlad hudolus iddo... ond ar ôl cyrraedd, gwelodd ei bod yn ardal ymarfer i'r Llu Awyr. Roedd sŵn yr awyrennau'n sicr o ddifa unrhyw ymgais i fyw yn y gorffennol.

Ardal draddodiadol Gymraeg ydy Pen Llŷn; ond oherwydd ei harddwch a'i thraethau, ac oherwydd bod y chwyldro diwydiannol wedi esgor ar y modur, mae hi'n orlawn o bobl ddieithr trwy'r haf, nes ei bod bron yn amhosibl byw bywyd Cymraeg yno. Ac yn y gaeaf bellach, oherwydd y cannoedd o oleuadau stryd sydd wedi ymddangos ym mhob man, mae'r nos yn llawn golau artiffisial. Ni welir y sêr a'r môr a ffurf y penrhyn mwyach, gyda'r canlyniadau bod harddwch ac unigrwydd naturiol cefn gwlad wedi diflannu.

ymfalchïo yn – *to take pride in*
yn gymharol rydd – *comparatively free*
andwyol – *detrimentaly*
chwyldro diwydiannol – *the industrial revolution*
trychineb – *disaster*
hudolus – *magical*
llu awyr – *air force*
difa – *to destroy*
esgor – *to give birth to*
madarchu – *to mushroom*
penrhyn – *peninsula*

I R.S., fel aelod o'r mudiad gwrth-niwcliar, roedd hi'n ymddangos fod y llywodraeth yn annog pawb i ddefnyddio mwy a mwy o drydan i gyfiawnhau'r galw am fwy o atomfeydd, er mwyn y plwtoniwm a geir yn sgîl hynny. Ac oherwydd bod y dyn cyffredin yn casáu'r tywyllwch ac yn dymuno dofi natur, mae'n ddigon parod i chwarae i ddwylo'r llywodraeth fel hyn.

Gwlad y peilonau a'r gwifrau, gwlad mastiau'r teledu a pholion yr heddlu, gwlad y ffyrdd newydd yn llawn pobl ddieithr yn mynd am y môr ydy Cymru heddiw, lle mae'r coedwigoedd a'r meysydd carafanau'n llyncu'r tir agored sydd ar ôl.

Yn wyneb hyn oll, roedd R.S. yn gwybod pam roedd wedi troi i ymddiddori fwyfwy yn yr adar. Gan fod ysbryd cefn gwlad wedi dihoeni; gan fod ei harddwch yn cael ei ddifetha gan ddatblygiadau cyfoes, un o'r ychydig bleserau oedd ar ôl yno oedd gweld rhai o'r creaduriaid yn dal i fynd o gwmpas eu busnes traddodiadol...

Wrth edrych tua'r sêr gyda'r nos a chofio am y miliynau o gyrff bach oedd ar eu ffordd i wlad nad oeddent wedi ei gweld erioed o'r blaen, byddai R.S. Thomas yn rhyfeddu mor wyrthiol oedd y cread...

cyfiawnhau – *to justify*
dofi – *to tame*
dihoeni – *to waste away*
rhyfeddu – *to wonder, be amazed*
mor wyrthiol – *so miraculous*